ドリームダスト・モンスターズ

目次

魂の本物の闇夜では、時計はいつも明け方の三時だ

——F・スコット・フィッツジェラルド　『崩壊』

プロローグ

「なあ、名前これ、なんて読むの？」

眼下から響くやたらと元気な声の主に、思わず晶水《あきみ》は目をすがめた。

なんだろうこれ、どっかで見たことあるな、としばし考えこむ。

ああそうだ、子供のころ好きだった動物図鑑で見たんだ。ロリスだのアイアイだのガラゴだの、とにかくその手の霊長類に似ている。ちいさくて目がでかくて、でも可愛さよりは野性が勝っている、見るからに俊敏そうな生きもの。

その子猿によく似た少年が、

「ねえ。なんて読むの、ってば」

と晶水の目線はるか下から急《せ》かしてくる。

女子高生の平均値より、己がかなりの長身であることを彼女は自覚していた。その晶水よりり目測で十二、三センチ低いのだから、この男子生徒は身の丈一六二センチ前後といったところか。

今春に新調したての制服はぶかぶかだ。袖《そで》は余っているし、ズボンの裾《すそ》だって何重にも折

ってある。いかにも親が、

「まだ一年生なんだから、卒業までには大きくなるわよね」

と見越して二サイズは大きめに買ってみました、といったふうだ。

その少年がなぜかやけに目をきらきらさせて、彼女の左胸の名札に記された『石川晶水』の四文字を指さしている。

無視しようかどうかゼロコンマ数秒迷って、

「いしかわ。石に川と書いて石川」

と無愛想に晶水は答えた。

しかし彼はへこたれる様子もなく、

「そうじゃなくてさあ。下の名前」

となおも言いつのる。

今日は厄日かな、と晶水は内心つぶやいた。

出がけに「今日の弁当のおむすびがちょっと大きい」と父親にごねられたし、その騒ぎのせいで傘を忘れて登校途中にしっかり降られた。おまけに英語で長文の訳をあてられた上、廊下でいま、見知らぬロリスもどきにからまれている。

晶水は聞こえよがしのため息をついてみた。だが眼前の子猿がひるむ気配はない。彼が梃《て》

子《こ》でもその場から動かないらしいのを見てとって、

「……あきみ」

と彼女はしぶしぶ答えた。

途端、少年の眼がぱっと輝く。

「あきみ。石川あきみ」

口の中で唱えるように繰りかえしてから、

「へえ、キレーな名前だな」

などとしれっと言いはなつ。

思わず晶水は顔をしかめた。

確かに字面はきれいかもしれない。でも水晶をひっくりかえして「あきみ」だなんて、名前負けもいいところだ。もっと小柄ではかなげな美少女ならまだしも、自分みたいなデカ女につけていい名前じゃないだろう、とずっと思ってきたし、正直いまも思っている。

だが少年はそんな晶水の胸中も知らず、

「おれ、A組の山江《やまえ》壱《いち》！」

と声を張りあげた。

「横棒一本じゃなくて、めんどくさい古い方のイチな。壱万円の壱」

「山江ね、わかった」

うなずいて、晶水は「わかったから、そこを通せ」と手ぶりで彼に合図した。しかし少年はやはり頑として動かない。

「イチって呼んでよ。友達みんなそう呼ぶし」

「ああはいはい。じゃあね山江」

「イチでいいって」

しつこい。晶水はこめかみに青筋が浮きそうなのをこらえて、

「さよなら、山江くん」

とゆっくり、一字一字区切るように言ってやった。きゅっと壱が口をとがらせる。

「冷てぇなあ、アキちゃん」

己の脳の血管が二、三本切れる音を、晶水は耳もとで聞いた気がした。

腰に両手をあて、背をかがめる。ぎりぎりまで彼に顔を近づけ、ゆっくりと目を細めた。

「あのね、きみは山江。わたしは石川。お互いそれ以外の呼び名は、いっさい選択肢にございません。わかった？」

ごくやさしい口調で、嚙《か》んで含めるように言い聞かす。

「わかったら、返事」

少年が気圧《けお》されたように、

「……わかりました」

とうなずき、ようやく数歩後退する。

内心ほっとしたのは顔に出さず、あいた彼の脇を晶水はすり抜けた。だがすれ違いざま、
壱がぼそりと言うのが耳に入った。

「なあ、間違ってたらごめんだけど」

「は？」

まだなにか用か。思わず肩越しに睨《にら》みつけた晶水を、まっすぐに壱は見あげた。その唇から、低く問いがこぼれ落ちる。

「ひょっとして石川――最近、よくない夢とかみねぇ？」

瞬間、晶水はぎくりとした。

声が洩《も》れそうになり、頬の内側を噛んだ。心臓が跳ねる。一瞬で舌が干上がる。

目の前に、少年の大きな瞳があった。虹彩の大きな、やけに真っ黒な眼だ。なんのためらいも躊躇《ちゅうちょ》もなく凝視してくる、底のない穴のような双眸《そうぼう》。

晶水は口をひらき、

「――べつに」

と、それだけを答えた。

われながら、驚くほど平静な声が出た。言葉はすらっと自然に喉《のど》を通ったし、語尾も震えなかった。上出来だ。自分で自分を誉めてやりたいくらいだ。

「なら、いいんだけどさ」

意外にすんなり壱がひきさがる。

「でも手に負えなくなったら、おれんとこ来いよ。いつでもいいから」

今度こそ彼を黙殺して、晶水は歩を速めた。

その背に少年の声が突き刺さる。

「いつでもだぞ。待ってっからな！」

スピードをゆるめず、晶水は無言で歩き去った。角を曲がって、思わず安堵《あんど》の吐息をつく。肺から絞りだすような、長い長い嘆息だった。

少年とはほんの数秒目が合っただけだ。なのに、ひどく疲弊していた。われ知らず額に滲《にじ》んだ汗を、指先で拭《ぬぐ》う。

「なんだ、あれ……」

振りかえろうとして、やめた。

背中の筋肉がこわばっているのが自分でもわかる。最近はいつもそうだ。かたときも気が休まらない。まわりがみんな敵に見える。

ベッドで眠っているときでさえ緊張がとけることはなかった。警戒と猜疑《さいぎ》で、全身がちがちに固まってしまっている。被害妄想じみている自覚はあった。が、どうにもできない。

いま一度、彼女はふっと息を吐いた。肩をまわし、背すじを伸ばす。それでも無意識に噛みしめた奥歯が、口の中できしっと鳴る。

自席に戻るべく、晶水は目を伏せて一年C組の引き戸に手をかけた。

第一話　ドリームダスト

1

冷えた校舎の、長い廊下をひとり歩く。

五月のなかばともなれば、入学式には花の盛りだった染井吉野もすっかり葉桜だ。やわらかに萌えて、いまは校庭の西側を緑の帯のように縁どっている。空は晴れているが、朝方まで雨だったせいか、吹く風はひんやりと涼しい。

ロッカーの前に、濡《ぬ》れたビニール傘が何本か立てかけられていた。遠くから通う子たちが家を出る頃は、きっとまだ降っていたのだろう。傘から落ちた水滴が、塗材の床にちいさな水たまりをつくっている。

窓辺では他組の女子生徒が、顔を寄せてしきりにぺちゃくちゃやっていた。片方の女子が、晶水を見てすこし目を見ひらく。

通り過ぎる瞬間、ささやきが聞こえた。

「うわ……大《お》っきい子」

「しっ、聞こえるよ」

うるさいな、とっくに聞こえたよ。そう言いかえしたいのをこらえ、横目でじろりと睨んでやった。相手が慌てて顔をそむける。

——目が合ったくらいでうろたえるなら、最初から言うな。

内心でつぶやいて、晶水は足を速めた。

昔はこの長身が自信の源だった。でもいまは心底うっとうしい。意味もなく目だつことが、いやでいやでしょうがない。

勢いよくC組の引き戸をあけた。

なぜか一瞬、教室がしんとなる。全員の視線がなんとはなし晶水に集まり、次の瞬間さっと気まずそうにそらされる。

思わず口の中で舌打ちした。ひとりでに眉間《みけん》が寄る。刻まれた皺《しわ》が、いやでも深くなっていく。

——ああもう。なんなのこの空気。

まるで腫物《はれもの》扱いだ。

わたしがいったいなにをしたっていうんだろう。べつになにを言ったわけでもない。誰かといさかいを起こしたわけでもない。ただ黙って一日じゅう座っているだけなのに、あんな目を向けられる覚えはなかった。

いや、怖がられるのも、遠巻きにされるのもべつにいい。でも無視するならするで、もっと完全に百パーセント無視してほしい。

早足で教室を突っ切ると、晶水は自席の椅子《いす》をひいて座った。

彼女の席は廊下側のいちばん後列だ。「目のわるい者、背の低い者はなるべく前に来い」との担任の指導により、自然とこの席におさまったのだ。当然の流れである。べつだん気を悪くするようなことじゃない。でもいまは、そんな瑣末事《さまつごと》でさえなんだか忌《い》まいましい。

腹立ちまぎれに、わざと乱暴に机の中を探った。壁の時間割によれば次は現社だ。べしっと音をたてて、教科書を机に叩《たた》きつける。

ふと、手もとに影がさした。

「……おっかない顔」

耳に馴染《なじ》んだその声は、かすかに笑いを含んでいる。

晶水は顔をあげた。

唇を吊《つ》りあげた独特のアルカイック・スマイルで立っているのは、同じくC組の涌井《わくい》美舟《みふね》だった。

中学時代はクラスメイト兼チームメイト兼、親友だった。ただしいまは後ろふたつの肩書きがはずれて、ただのクラスメイトである。

そっけなく晶水は言った。

「なんか用？　トシ」

「べつに」

美舟の微笑がかすかに歪《ゆが》んで、苦笑に変わる。

すうっと晶水の目が細まった。

怒りの気配を読んだのか、美舟が頰をひきしめる。しかし「怒ったの」とは訊《き》かず、彼女はただ、もと親友の髪につと手を伸ばした。

「ずいぶん、伸びたね」

指先でさらりと触れる。だが表面を撫《な》でただけで、白い手はすぐに離れる。

晶水はなにも言わなかった。美舟も同様だった。それきりきびすをかえすと、美舟は前列の自分の席へと戻っていってしまった。

ふ、と晶水は吐息をついた。

このところ、ほんとうにため息が増えた。歳に似合わぬ辛気《しんき》くさい癖だ。そうは思うが、自然と湧《わ》いてくるものはしょうがない。

美舟が触れていった髪を、なんとはなし自分の指でなぞった。

半年前から伸ばしはじめた髪は、いまや〝ミディアム〟ではなく、じゅうぶん〝ロング〟と呼べる長さになっている。どういうわけか晶水は、昔から髪や爪の伸びが人より早いのだ。

「あんたは背も髪も爪も、なんでも発育がいいのねえ。まったく誰に似たんだか」

と母によく笑われたものだ。

そのまま静かに晶水は自分の思いに沈みかけていった。だがその感傷を蹴破《けやぶ》るように、

「なあ、なんで涌井の渾名《あだな》って『トシ』なの?」

と、ふいに真横から問いがぶつけられた。

これまた聞き慣れた声だった。だが美舟のそれとは違って、こちらは高校に入学してから
いやでも慣れてしまった声である。晶水は顔もあげず、

「……また山江か」

と唸《うな》るように言った。

「うん、またおれ」

あっさりと壱がうなずく。

彼は廊下側の窓枠に両肘《ひじ》をついて、晶水を覗《のぞ》きこむように身をのりだしていた。このポーズもまた見慣れたものだ。A組からわざわざ遠征してきては、なぜか彼はこの窓からいつも
彼女にちょっかいをかけてくる。

「それはいいとしてさ」

晶水の不機嫌などまったく意に介さず、壱が言葉を継ぐ。

「さっきの質問、答えてくれよ。石川がいっつもトシって呼んでるから、おれてっきり涌井ってトシコとかトシエとかいう名前なのかと思ってたわけ。そしたら、ぜんっぜん違うんだもんな。なあ、なんで涌井がトシなの？」

晶水は眉間の皺を指で押さえた。

うるさいな、どうでもいいでしょ、と言ってしまいたいのはやまやまだ。だがそう言ったところで、山江壱がひきさがらないことはとうによく知っていた。

クラスメイトにはいわれもなく過剰に怖がられ、この子猿には意味もなく過剰になつかれる。うまいこと中間はないもんだろうかと思いながら、晶水はいやいや口をひらいた。

「……下の名前が、ミフネだから」

目に見えて壱がきょとんとする。

「三船敏郎《みふねとしろう》って知ってる？」

「知らない」

「あっそ。ならいい、忘れて」

すげなく手を振って、晶水は彼に背を向けた。

「なんだよお」

背中越しにも、てきめんに壱がむくれたのがわかる。

「石川、もっと会話のキャッチボールしようぜ。おれは投げたんだから、受けとめないまでも打ちかえすかせめて暴投しろよな。そんなんじゃ友達なくすぞー」

そんなもん、もうとっくにいないよ。そう言いかえそうとしてやめた。さすがにそれは自虐すぎる。かえす刀で、自分の胸までざっくりいってしまいそうだ。

しかたなく彼に向きなおり、

「山江、そういや前も名前どうこうでからんできたよね」

と、さりげなく話題を変えた。

「なんでそんなにこだわるの。親しくもない他人の名前なんか、べつに気にすることないじゃない」

「んなことないって。気にするよ」

壱はなぜかむきになって反論した。

「名前って重要なんだぜ。いちばんわかりやすい記号っていうか、そいつそのものを表す大事な象徴《ショーチョー》でもあるもんな」

晶水は眉根を寄せた。

「酋長《しゅうちょう》?」

「違う、象徴！　シンボルとかモチーフとか、えーと、とにかくそういうやつ」

「ああそっちね」

あんた発音おかしい、とかるくいなして、晶水はふたたび机を探った。ペンケースを取りだし、シャーペンの尻をノックして芯の長さを確かめる。

気のない様子の晶水に、壱がむっとした顔でさらに身をのりだしてきた。

「なあ、石川ってば」

「なに」

「聞けよ。とにかく象徴ってのは、みんなが思ってる以上に大事なもんなんだって。よく夢に出てくるってだけじゃなくて、場合によってはかたちを変えて出現することもあるから、そこんとこ根っこをちゃんと把握《ハーク》してないと――」

また夢の話か。そう思った途端、ちりっと胸の底が波立った。

――ああ、まずい。

神経がささくれ立つ。怒りとも苛立《いらだ》ちともつかぬ感情が、みぞおちからぞわぞわと湧きあがる。自力では抑えきれないかもしれない激情だ。かるい吐き気にも似た波が、胸もとにこみあげてくる。

だがその波がはっきりかたちになる前に、

「イチ！」

と、明るい声が不穏な空気を切り裂いた。

声とともに伸びた太い腕が、背後から馴《な》れ馴れしく壱の肩をぎゅっと抱く。腕の主は、縦にも横にも大柄なひとりの男子生徒であった。

体格からして、どう見ても一年ではない。胸の名札に記された『2－B』と、腰にぶらさげたタオルの『送球』の二文字で、晶水にもおぼろげに素性がわかった。どうやらハンドボール部の二年生らしい。

彼は壱を片手で拝むと、ややオーバーアクト気味に頭をさげた。

「なあ、来週うち試合なんだ。悪いけど、またおまえ助っ人に入ってくんねえか」

が、あっさりと壱は首を振った。

「すんません、来週は無理っす。バスケ部の先約が入ってるんで」

「うわ、マジか」

大げさに額を叩いてから、彼はあたりを見まわして声を低めた。

「なあ、ここだけの話……バスケ部はいくら出すって？」

無言で壱は指を三本立てた。

「三千円かあ」

しばし考えこんだ二年生が、やがてぱっと顔をあげる。

「よしわかった。おれはその倍出す。な？　だから頼むよ。あとを考えたら、ぜったい落とせない試合なんだ」

「そう言われてもなあ、順番抜かしは今後の信用にかかわりますし」

「そこをなんとか」

——ああもう、聞いてらんない。

晶水は顔をしかめ、わざと勢いよく立ちあがった。背後で派手な音をたてて椅子が倒れる。教室がふたたび、しんとなる。

目をまるくする彼らを後目《しりめ》に、彼女は大股で歩きだした。

「あ、待てよ石川」

どこ行くの、授業はじまっちゃうぜ、と壱が慌てて二年生を振りほどく。

晶水は肩越しに、視線だけで彼を振りかえった。壱と目が合う。彼が、ゆっくりと口を閉じる。

「夢は、みない」

低く、彼女は言った。

「たとえみるとしても、——あんたと、その話をする気もない」

冷えきった声が出た。そのまま振りかえることなく、晶水は早足で教室から立ち去った。

2

その日の夜のことだ。

晶水は街灯のひどくすくない、薄暗い夜道を歩いていた。

夢だということはとうにわかっていた。まだ眠りに落ちきらぬ、浅瀬でとどまった意識が「これはほんとうじゃないんだ」と知覚している。だってほら、すぐ隣におかあさんがいる。

彼女は母親と肩を並べ、歪んだS字を描く道をたどっている。

――でも、いやだ。

すでに逃げだしたくてたまらない。こんな夢はいやだ。みたくない。この道も嫌いだ。二度とここを歩きたくなんかない。なのに、いつもいつも夢はこの場所からリスタートする。

「ひきかえそうよ」

そっと彼女は言う。言葉が喉にからんで、苦くひっかかる。

「どうして」

母の水那子《みなこ》が言った。

「どうしてって――」

だってここを通るたび、いやなことが起こるんだもの。そう晶水は答える。

いやなことってなに。さらに母が問いかけてくる。晶水はきゅっと唇を閉じた。いやだ、答えたくない。訊かないで。

だが結局、彼女は答えてしまう。そうだ、いつだってそうなのだ。夢の流れを変えることはできない。そして、来たるべき結末も。

「わたし、いままでに三度この道を通ったの。そしてそのたび、いやなものを目にしてきた。だからいや。ここは嫌い。ねえ、おかあさん――」

――戻ろうよ。

しかしその言葉を口にする前に、視界が大きく歪んだ。ああ、まただ、と晶水は思う。またいつもの繰りかえしだ。

その道は十年ほど前までは、通学路としても広く利用されていた。

新興住宅街から公立小中学校への便がよく、信号の流れもスムーズだったからだ。

しかし国道から近いこともあって、車両の交通量はけしてすくなくなかった。おまけにスクールゾーンから微妙にはずれており、子供たちの登校時刻であっても、とくに交通規制はされていなかった。

晶水が小学一年生当時から、「あそこは通っちゃだめ」と子供らに言い聞かす大人は何人もいた。

「あそこはだめ。よくない道なの。車でさっと通りすぎるならまだしも、子供が歩いて通るようなところじゃない――」

と。

その道はひどくゆるい、いびつなS字カーブを描いていた。しかし立っている街灯や電柱の角度がよくないらしく、運転手が「まっすぐ」だと誤解してしまいがちな通りなのだ、と当時の担任は生徒たちに説明した。

ドライヴァーがずっと道すじから目を離さずにいればカーブだと認識できる。だがほんの一瞬なにかに気をとられ、ふと目を戻すと「まっすぐ」に見える、という奇妙な錯覚を呼び起こす道であるらしかった。

そのせいか、通りにはいつも花束が絶えなかった。電柱の根もとやガードレールの脇に、カップ酒、お菓子、ジュースの缶などがしょっちゅう置かれていた。子供の喜びそうなぬいぐるみが飾られていることも、けしてめずらしくなかった。

晶水も、近所のおばさんたちに口をすっぱくして言われたものだ。

「ちょっとくらい遠くなってもいいから、あっちの迂回路《うかいろ》を通りなさい。アキちゃんは健康だし、そんなに足も長いんだから、歩くのは苦じゃないでしょう」

返事に困って母親を見あげると、水那子は娘の背を叩いて、

「ほら、みなさんがアキのことこんなに心配してくれてる。だったらお礼言って、ちゃんと言うこと聞かなきゃねえ。親でも兄弟でもない人に、心配してもらえるっていうのはすごいことよ。アキも大人になったらわかるわ。どんなにお金持ってたって、えらくなったって、なかなか手に入らないことよ」

と笑った。

母がそう言うなら正しいのだろう。そう思って幼い晶水はうなずいた。そして彼女らの言いつけどおり、ふだんは迂回路を選んで通った。

だが、あれは――二年生の秋だっただろうか。

いっしょに登校していた子が寝坊して、なかなか戸口まで出てこない日があった。「いつもの道だと遅刻しちゃうよ」

そう言って、その子は「あの道を通ろう」とうながしてきた。

晶水は迷った。母と、あのおばさんたちの言葉が耳の奥によみがえった。

しかし結局、晶水はその子の言うとおりにしてしまった。そのときは遅刻の方が〝もっとわるいこと〟だと思えたからだ。黙っていれば、おかあさんたちにはわからないよね、とも思った。

ふたりは手をつないだまま、いつもの角を曲がらず、まっすぐ横断歩道を渡った。

後悔したのは、走りはじめて二分ほど経ってからのことだ。

英語塾前の十字路に、中年の男女が立っていた。目をひかれたのは、女の顔に見覚えがあったからだ。授業参観の日、教室のいっとう後ろで見た顔だった。

――確か、保健委員の子のおかあさんだ。

そう晶水が思った次の瞬間、男がものも言わず女の顔を殴った。

ぎょっとして晶水は足を止めた。

男女でも、同級生同士なら蹴ったり叩いたりは見たことがある。でも大人の男が、拳《こぶし》で思いきり大人の女を殴るところを見たのははじめてだった。

怖い、と思った。本能的に足がすくんだ。

手をつないでいた子が、怪訝《けげん》そうに立ち止まる。どうやら彼女はあの瞬間を見なかったらしい。「どうしたの、行こうよ」と、晶水の手をひいて急かしてきた。

そのときだ。殴られた女がふっと振りかえった。

ふたつの眼は正面の男ではなく、なぜかまっすぐに晶水をとらえた。思わず少女はたじろぎ、数歩あとにさがった。

女は、笑っていた。

へつらうように眉をさげて、こんなことなんでもないのよ、気にしないで、と言いたげに微笑《ほほえ》んでいた。なんでもないことなんだから、お願い、誰にも言わないで――と。

だがその女の肩を、さらに力まかせに男が突いた。

女はよろけ、道にたたらを踏んだ。

おりしも信号は黄いろになったところで、赤になる前に渡ってしまうべく、二台の車がスピードをゆるめず直進していた。

一台目のクラウンが、まず女をはねた。避けきれず、二台目のヴァンガードが彼女の上にのりあげ、轢《ひ》きつぶした。ごきごきごき、と硬いものの砕けるいやな音がした。

きゃああ、と高い悲鳴が湧く。

被害者ではない。目撃者から湧いた悲鳴であった。

晶水は棒立ちのまま、ただその光景を眺めていた。

ショックだった。目の前で人ひとりが轢かれたことよりも、女が最後に見せた笑顔があまりにも「ふつう」であったことに、晶水は強い衝撃を受けていた。

晶水と友達は、やがて到着したパトカーに保護された。署に連れて行かれ、しばらく女性警官からあれやこれやと質問を受けた。

部屋を出ると、いつ来たのか母が迎えに立っていた。ほっとして涙が滲んだ。

くだんの道を通ってしまったことは、なぜか誰にも叱られずに済んだ。遅刻も不問とされた。それ以後しばらくは、まわりの大人がみんなやさしかった記憶がある。

だがもっと周囲にやさしくいたわられた子がいた。

例の、保健委員の子だった。

彼の父親はいつも酒を飲んでは妻を殴っていたのだそうだ。そしてあの日、父親は明け方まで喰らい酔っていた。

いつものように息子を送っていった妻を、その日どういうわけか彼は追いかけた。そして、

「ご主人さまを家にひとり置いていくとはなにごとだ」

「間男と会う気だったか、この牝豚《めすぶた》」

と言いがかりをつけて殴った挙句、車道へと突きとばしたのだった。

保健委員の子は翌月、隣県の祖父母にひきとられていった。その後彼がどうなったかは、いまだに知らぬままだ。

二度目のことは、これほど詳細に覚えてはいない。

当然かもしれない。その瞬間を、晶水は直接目にしてはいないのだ。だが間違いなく現場にはいた。そうしてあの子は、彼女からほんのすこし離れたところを走っていた。

いまでも、ふっと思うことがある。

自分がいっしょに走ってやっていれば、あの事故は起こらなかったのではないか。自分の中途半端な態度が、結果的にあの子を殺したのではないか、と。

そして、三度目の事故が起こった。

──いやだ。

いやだ、そこは思いだしたくない。

晶水はきつく目を閉じ、かぶりを振る。

たとえ夢の中であっても、あの光景は二度とみたくない。逃げだしたい。その苦行に耐えるくらいなら、どこかもっと暗いところへ潜ってしまいたい。

意識が沈んでいくのがわかる。眠りが深くなりつつあるのだ。

そのまま意識ごと体ごと、彼女は夢の世界へ落ちていった。

そして、ふっと気づく。

いつしかまた、晶水はひとりで夜道を歩いていた。あたりは暗く、目をこらしても自分の爪先さえ見えない。いちめん塗りつぶしたような漆黒《しっこく》が、世界を広く覆っている。

「おかあさん」

心細くなり、母を呼んだ。

しかし応える声はない。ああ、もうここに母はいないのだ、といやでも晶水は悟る。さっきまで横にいたぬくもりがない。ただ、冷えた風が吹き過ぎていくだけだ。

母はいない。いなくなってしまった。

だが晶水の足は止まらない。立ち止まることもひきかえすこともできず、少女は歩きつづける。あの地点に向かって。

予感があった。

来る。――そろそろだ。

首すじの毛が逆立つ。背の正中線が冷えてこわばる。だが回避はできない。いつもの夢をいつものように、少女は甘受するしかなかった。

足が止まった。

途端、すう、と地面から無数の白いものが立ちのぼってくる。

それは白く細い、腕だった。

ゆらゆらと揺れている。五本の指先が繊毛のように蠢《うごめ》いている。

陽炎《かげろう》のような白い手が、欲しい欲しい欲しい、もっとちょうだい、とねだるがごとく、右へ左へ揺らめき、なびいてさざめく。

――足らない、足らない足らない足らない。

――もっとよこせ、もっとちょうだい。もっと、もっともっともっともっともっと。

子供の声だ。がんぜないと言ってもいいくらい、幼い舌足らずの声。

そう晶水が知覚した途端、群生する腕の隙間《すきま》から、ふつふつと泡のようなものが隆起する。泡の表面に、まずふたつの目が浮かんだ。次いで、鼻と口があらわれる。目と鼻はただの穴だった。裂け目のような口は、音もなく笑っている。

それはおそらく生きていた。そして、なかば透けていた。子供だ。何十人、何百人ともつかぬ、半透明の子供たちであった。

立ちすくんだまま「ああ。これに似たものを、ずっと前にも見たことがある」と晶水はぼんやり思う。

そうだ――あれは、幼い頃に草むらから持ち帰ってしまった蟷螂《かまきり》の卵だ。ある日突然、ぱちんと弾けるように部屋で孵化《ふか》したのだ。

茶いろの殻が割れたかと思うと、隙間からうじゃうじゃわらわらと、数えきれぬほどの幼虫が這《は》い出てきた。向こうが透けて見えそうな薄緑の幼虫は、一瞬にして部屋じゅうに散らばった。つかまえようとすると、成虫そっくりにちいさな鎌を振りたてて威嚇《いかく》してきた。この光景は、まさにあの日そのままだ。

半透明の子供は、あとからあとから浮塵子《うんか》のように湧きあがってくる。

彼らはどれも同じ顔だった。目はふくれあがって盛りあがり、昆虫の複眼を思わせる。腕はあるが、足は見あたらない。胴体は蛇さながらにうねうねと長い。体は白い手と同じく闇に揺らめいて、ともすればとろりとかたちを崩す。

彼らの白い腕に、傷がいくつも走っているのが見えた。いたましい傷あとだった。目をそむけようとし、晶水は自分の体が動かないことにようやく気づいた。

白い手の群れが突然、わらっ、と波のようになびいた。

晶水は目をすがめる。

なにかいる。あそこに、なにか倒れている。頭の片隅で正体はもうわかっていた。だが、知りたくなかった。

なのに。

――あれは、おまえの母だよ。

誰かが耳もとで甘くささやく。

もう知ってるくせに。あれはおまえの母だ。あそこに力なく倒れ伏しているあれは、大事な大事なおまえの母親の死体じゃないか――そう、嘲笑《あざわら》うように告げてくる。

ふいに、白い腕がぬるりと伸びる。

水那子の体に向かって鎌首のように手首をもたげ、何十匹もの蛇のごとく這い寄っていく。腕は動き、くねり、指を動かして母をとらえた。そうしてすこしずつ、その五体をちぎっていった。

晶水の眼前で、見る間に彼女の体がちいさくなっていく。母の手首が消え、二の腕が消える。くるぶしが、脛《すね》が、腿《もも》が、実体を失《な》くして闇に溶けるように消えゆく。

どこかで子供たちが笑う。おかしくてたまらぬようにかん高い声が響きわたり、闇の中で乱反射する。

かえして、と晶水は叫んだ。

おかあさんを持っていかないで、かえしてよ——、と。

しかし応える声はない。水那子はすこしずつちぎられ、もぎ離され、細かく裂かれて、かたちを失くしていくばかりだ。

やがて母が見えなくなる、満足したように、無数の白い腕がゆらりと揺れる。さざ波のように揺らめきながら、眼前で薄れて消えていく。

晶水は手を追おうとした。だがやはり動けない。その刹那《せつな》、なぜ自分が動けないのかを彼女は忽然《こつぜん》と悟る。

——ああ、そうだ。

わたしはもう走れない。

目線をさげる。右膝《ひざ》から下が、ぽっかりと黒い空洞になっている。

穴だ。もうけっして埋まらない穴。膝にも胸にも、大きな風穴が穿《うが》たれている。

だから追うことも走ることも、わたしにはできない。もうできない。二度とわたしは、誰かを追って走ることはできない。

だってこの脚は——。

次の瞬間、はっと晶水は目を覚ました。

彼女は自室で、いつものベッドに横たわっていた。布団がはだけているのに、全身寝汗でびっしょりだ。濡れた前髪が、額に貼りついている。

のろのろと上体を起こす。無意識に目が時計を探した。

薄闇の中、枕もとの目覚まし時計はきっかり午前三時をさし示していた。

3

結局あれから、まんじりともせず晶水は朝を迎えた。

頭が重い。手足はだるく、こめかみが疼《うず》くように痛む。

それでもベッドから身を起こすのは、今日も父を会社へ送りださなくては、とその一心のみであった。

　シチズンの電波時計が午前七時十秒前を知らせるのを確認し、晶水は父の寝室へと足早に向かう。

「おとうさん、起きて。おとうさん」

　朝の七時きっかりに誰かが声をかけないと、父の乙彦《おつひこ》はけして部屋から出てこない。この声かけ以前に起きていようがいまいが、合図がない限り姿を見せない。

　乙彦は、晶水の知る限りもっとも優秀で、もっとも扱いの面倒くさい成人男性だった。なにをするにも儀式めいた〝こだわり〟がついてまわるのだ。

　まず朝の儀式から説明するならば、平日の父はシルクの紺の靴下しか穿《は》かない。そして必ず右足から穿き、部屋を一歩出る際も、階段をのぼるのもおりるのも、ぜったいに右からでないと納得しない。

　もしなんらかのアクシデントで左足からになってしまった場合は、ベッドから起きるところからやりなおさなければならない。

　朝食はといえば、

「朝は糖分を多めにとらないと脳が動かないんだ」

　と主張し、きっかり百二十グラムの白飯、鮭フレーク、おひたし、豆腐の味噌汁《みそしる》の朝食へ、

必ずハーゲンダッツのアイスクリームと餡《あん》ドーナツをひとつずつ添えさせる。しかもアイスの種類にさえ、

「月曜日はヴァニラ、火曜日はストロベリー、水曜日はグリーンティー」

といったふうにいちいち決まりがある。

また昼食用に持っていく弁当も、同じメニューでないとだめだ。ひじき煮と、蓮根《れんこん》のきんぴらを各しらすと葱《ねぎ》を入れた、やや甘めのたまご焼きを四切れ。ひじき煮と、蓮根のきんぴらを各一カップ。プチトマトひとつ。茹《ゆ》でたブロッコリー二片。冷凍ではない自家製の鶏つくねを三片。それに、明太子と鮭のおむすびをひとつずつ。

毎日判で押したように同じで、これ以外のものは持たせても食べない。大きさや数が違っても受けつけないらしく、へたをすると「気に入るまで出社しない」という事態に発展することさえある。

こんな父親をなだめすかし、朝食を食べさせ、歯をみがかせ顔を洗わせ、ネクタイを締めてやって毎朝送りださねばならないのだ。

やっと彼の背中を見送ったときには、へとへとであった。よく母はこれを二十年近く毎日こなしていたものだ、と感嘆せずにはいられない。

だが母が言うには、

「これでも結婚前より、ずいぶん人間らしくなったのよ」

とのことだった。それがほんとうだとしたら、祖母や伯母たちの苦労はまさに想像を絶するものだったはずだ。

たださいわい、夕飯に関しては父はまったくこだわりがなかった。もし晩も父がこの調子だったなら、晶水は心身の疲労でとっくにつぶれてしまっていただろう。

鍋いっぱいに煮たカレーやシチューが何日つづこうとも、それが夕飯であるならば、乙彦はいっさい文句を言わなかった。おでんにグラタン、などという奇妙なとりあわせになってしまったときも同様だ。

娘がインフルエンザで発熱した夜は、黙ってカップラーメンを啜《すす》っていたことさえあった。

そのとき晶水は、

「あ、おとうさんってお湯の沸かしかた知ってたんだ」

と妙な方向に感心してしまったものだ。

こんな父とのふたり暮らしも、早《は》や七箇月目に突入しようとしている。長かったと言えば言えるし、あっという間だった気もする。

――でも、まだ慣れない。

わたしも父も、いつか慣れる日が来るんだろうか。そう自問して、「完全には、お互いきっと永遠に無理だろうな」と晶水は胸中でつぶやいた。

父が職場でなにをしているのか、いまだ彼女はよく知らない。

「金属の粉を研究してるんだ。それを商品にするんだよ」

としか乙彦は説明しないし、高校生になったいまでも『機械部品メーカーの研究開発職』であるという以上のことはなにも把握できていない。だが母は、

「おとうさんはね、すっごくむずかしいお仕事してるのよ。だから、すっごくえらいのよ」

といつも言っていた。

母の水那子は〝専業主婦の鑑《かがみ》〟とも言うべき人だった。晶水はいまでもそう思う。

結婚を機にすっぱり仕事を辞めたという彼女は、まぎれもなく家庭を居心地よくする名人だった。

いまでも石川家はそれなりにきれいにしてはいる。キッチンや水まわりの掃除をさぼったことはないし、床にも棚にも埃《ほこり》を溜めたことはない。でも、水那子がいた頃とははっきり違う。

彼女が家を取りしきっていた当時の、独特なやわらかさと華やぎ。それらは拭ったように消えてしまった。

いま家の中はひどく無機質だ。ただ片づいているだけ、ただ不潔でないだけの、奇妙にスクエアな空間でしかない。

母がいれば、なぜか庭の草木は他の家よりぐんと早く成長した。布団はつねにふかふかだった。家の中には花が絶えなかったし、いつもほんのりいい香りがした。

彼女がいなくなってはじめて、食材とは冷蔵庫に入れっぱなしでもだめになるのだ、と晶水は知った。ほうっておけば冷凍庫に霜が溜まることや、炊飯器のご飯があっという間に茶いろくなることも実感した。

寝かせることで日ごと美味《おい》しくなるはずのカレーが傷むことも、納豆の賞味期限が意外と短いことも、水垢《みずあか》の厄介さも思い知った。

それだけではなかった。近隣との交際、父の相手、親戚づきあい。水那子はいつだって、どれも鼻歌まじりに難なくこなしていた。だから世の中がこんなに面倒で厄介な人だらけだなんて、それまで晶水は気づきもしなかった。

あの日までは、母がすべてやってくれていたのだ。あたりまえのように、空気のように。まるでお伽《とぎ》ばなしの『靴屋のこびと』ででもあるかのように。

——あんなふうにはできない。

とうていわたしは、母のようにはできはしない。無理だ。器じゃない。

——疲れるばっかりだ。

父の弁当と愛用の水筒を上がり框《かまち》に置いて、晶水はまたひとつ「ふう」と短いため息をついた。

その朝も校門が閉まる寸前になんとか間に合い、朝のホームルームにも晶水はぎりぎり滑りこんだ。

一限目の退屈な授業を終え、生あくびを嚙みころす。

こん、とかるく椅子の脚を蹴られた。顔をあげる。美舟が立っていた。

「……なに？」

「なんでもない。ただの伝書鳩」

「なら、さっさと伝書すれば」

晶水の言葉に、ふっと唇だけを吊りあげて美舟が笑う。

「じゃ、言うね」

中学時代、下級生たちに「きれいだけど、ちょっと怖いよね」と言われ、試合中には瞬時に相手チームの警戒を呼んだ微笑だ。

「以下、担任の兼村から。『いろいろあってくさる気持ちはわかるが、クラスの雰囲気をわるくするのはやめて欲しいよ。なあ涌井、石川は中学の頃は、ひとりでも友達がいたのか？』だってさ」

晶水は目を細めた。

「で？　トシはなんて答えたの」

「正直に言ったよ。アキは中学じゃ超のつく人気者で、とくに下級生の女子にはモテモテでしたけど？　って」

「へえ」

気のない声を出し、晶水は顔をそむけた。

美舟がなにか言いかけ、思いなおしたように口を閉じる。わずかに肩をすくめる。そのまくるりと背を見せて、足早に彼女が離れていく。

無意識に、晶水は指でこめかみを押さえた。

鈍く重い痛みが、何週間もそこに居座っていた。

鎮痛剤を必要とするほどではない。でも長くじりじりとつづく鈍痛は、着実に神経を削っていた。なけなしの忍耐心がすり減っていくのがわかる。まざまざと感じる。

額に手をあてたまま、晶水は顔をあげた。

すぐ前の一限目は古典だった。

対人恐怖症ではないのかと噂されるほど、古典担当の教師はかたくなに生徒を見ようとしない。その彼によって黒板は、今日も隅から隅までチョークの文字で埋まっていた。

その前で女子がひとり、黒板消しを片手に悪戦苦闘している。

——あの子、橋田だっけ。

それとも橋本だったかな、と晶水はぼんやり思う。

黒板の脇を見やると、日直の欄に『長谷川・橋本』と記されていた。ああそうだ、やっぱり橋本だった。確か橋本雛乃《ひなの》、とかいったはずだ。

身長一五〇センチ前半とおぼしき彼女は、ぎりぎりまで爪先立って腕を伸ばしても黒板の上まで手が届かない。

なのに、クラスの誰も雛乃には手を貸そうとしない。みんな見て見ぬふりで無視している。女子の数人にいたっては視線をはずさず、わざとにやにやと見物している。

高校生にもなるとある程度レベルが統一されるせいか、いかにも〝いじめ〟らしいいじめは消え失せる。それにとって代わるのは、あからさまな冷笑と黙殺だ。小柄ですこし動作の鈍い雛乃は、どうやらその〝冷笑〟の、まさにターゲットであるらしかった。

晶水の神経がぴりっと波立った。

ああいやだ。いやだいやだ。苛々する。こめかみで脈打つ痛みが、さらに不快さに拍車をかける。

舌打ちし、晶水は立ちあがった。

まっすぐに教壇までつかつかと歩み寄る。いまだもたついている雛乃の横に立ち、右の掌《てのひら》をずいと突きだす。

雛乃が目をしばたたいた。

「いいから」と唇のかたちだけでうながす。おずおずと、彼女が黒板消しを差しだしてくる。受けとるやいなや、晶水はいちばん上の文字からまんべんなく消してやった。

ほれ見ろ、と内心で思う。

身長一七五センチのわたしでさえ、腕を伸ばさなきゃ天辺《てっぺん》まで届かないじゃないか。小柄な雛乃ができなくて当然だ。あんな馬鹿にしたようなにやにや笑いを向けるほど、おかしいことなわけがない。

だいたい、もうひとりの日直はなにをしてるんだろう。まさか笑いものにするために、わざと雛乃ひとりに任せていたのか。だとしたら本気で腹立たしい。昔の自分なら、クラス全員の前で怒鳴りつけていたところだ。

振りかえって睨んでやろうかと思ったが、やめた。ただ隅から隅まできれいに消してから、黒板消しを雛乃の手にぽんと戻した。

いつしか教室は静まりかえっていた。背中越しにも感じる。視線が突き刺さる。

あとも見ず、晶水は無言でC組を出た。

廊下に出て、目を見ひらく。

そこに、山江壱がいた。

「——いいもん見ちゃった」

にっと彼が笑う。

「石川ってば、やっさしいの」

かあっと晶水の顔に血がのぼった。

「そ——んなんじゃないって」

舌がもつれた。首を曲げて、顔ごとそらす。

「日ごろいい子ちゃんぶってるくせに、他人を馬鹿にして笑ってるあいつらがむかついただけ。べつに、そういうんじゃないから」

「でも実際、橋本は助かったわけじゃん。あいつ、嬉しかったと思うぜ？」

ゆるく壱はかぶりを振って、

「おれ、石川のそういうとこ好きだよ」

と言った。

数秒、廊下に静寂が落ちる。

啞然《あぜん》として晶水は彼の顔を眺めた。正面に見える山江壱の顔が、じわじわと次第に赤くなっていく。

「あー、ははは。言っちゃった」

妙に顔を上気させたまま、「じゃーな」と壱が小走りに退散する。C組からA組までの短い距離を、韋駄天《いだてん》の速さで駆け去っていく。

次のチャイムが鳴るまで、晶水はその場から動けなかった。


その夜もやはり、夢をみた。

白く細い無数の腕。地面からうじゃうじゃと湧いてくる半透明の子供たち。いつも同じだ。なのにすこしも慣れない。見るたび晶水の足は凍りつき、嫌悪とパニックで声も出なくなる。

そうして道には、母の死体がごろりと無造作に転がる。

腕が、子供たちが、いっせいに母に群がる。まるで獲物にたかる肉蠅《にくばえ》だ。高笑いが響く。あれは、誰の声だろう。

母の体がちぎられ、もがれ、見る間にちいさくなっていく。でも眼前の略奪を晶水は止めることができない。だってわたしには、脚がない。

自分の膝から下は、ぽっかりと忌まわしい空洞が口をあけている。闇がひろがり、ひゅうひゅうと弱よわしく風が鳴る。

悲鳴をあげたかった。が、声は石のように硬く縮こまり、喉の奥に詰まったままだ。助けを呼びたい。でも、誰を呼んでいいのかわからない。

目が覚めた。

時計を見る。やはり午前三時だ。

晶水は手の甲で額の汗を拭う。ねっとりした脂汗《あぶらあせ》の感触がある。昨夜となにもかも同じだ。一昨日《おととい》と、さき一昨日と、そのまた昨日とも同じだ。寸分たがわない。逃げられない。

——逃げられない。

ゆっくりと晶水は、組んだ指の上に顔を伏せた。


それでも容赦なく朝はやって来る。

晶水は機械的にいつもの手順をこなした。味噌汁をこしらえ、弁当を用意し、七時十秒前に父の寝室へ向かって走った。

彼が朝食をとっている間に、粗熱をとったおむすびをアルミホイルで包む。食べ終わる直前をみはからい、ハーゲンダッツにスプーンを添えて差しだす。今日は金曜だから、クッキー&クリームの日だ。

靴下はシルクの紺。ネクタイも同じく紺の無地。靴べらはお気に入りの象牙《ぞうげ》製だ。

こんなときは逆に、手順が決まりきっていることがありがたい。なにも考えず、無心に習慣どおりに体を動かすだけだからだ。いま突発的なアクシデントでもあったら、神経がショートしてしまいそうだった。

だるい。頭が痛い。体が重い。

母のように笑顔で送りだしてやれたらいいけれど、頰がこわばって動かない。

鉛のような手足をひきずってなんとか登校したが、一限目の途中で「ああ、これは無理だ」と悟った。

座っているだけでもきつい。眠るのはいやだが、横になりたくてたまらなかった。全身がくまなく悲鳴をあげている。

――だめだ。保健室行こう。

休み時間になるやいなや、席を立った。

美舟と目が合う。

そらしたが、今度はなぜか雛乃と視線がぶつかった。

見覚えのある目つきだった。中学時代、よく下級生から向けられた熱っぽい目だ。振りきるようにして、晶水は教室を出た。

人気《ひとけ》のない階段から行こうと、角を逆に折れて遠まわりを選んだ。

非常階段へつづく短い廊下は、静かでひんやりしていた。

足もとがわずかにふらつく。なかば無意識に、腕を伸ばして壁に手を突いた。コンクリートの湿った冷たさが心地よく、そのとき彼女ははじめて「微熱があるんだ」と自覚した。壁に額を押しつけてみる。思ったとおり、気持ちよかった。じきに壁がぬるくなり、角度を変えてまた押しつける。

ふと窓の下を見ると、校庭に男子生徒が四、五人集まっているのが目に入った。円をつくってサッカーボールを蹴っている。

体育の授業が終わったばかりらしく、全員ジャージ姿だ。体を動かしたあとの余韻か、なかなか校庭を去る気にならないようで、しつこくボールをまわしあっている。

その生徒の中に、山江壱がいた。

こうして上から見ると、ひときわちいさく見える。でも、目だつ。

それたボールをさりげなく拾うのがうまい。逆足で受けても蹴っても、けしてバランスが崩れない。手足の指先に至るまで、きちんとコントロールができている人間の動きかただ。なめらかで、よどみがない。「小気味いい」という言葉が、見ていてしっくりきてしまう。

——こうして見てると、あいつに助っ人を頼む運動部員の気持ちもわかる気がしちゃうな。

そこに金銭を絡めるのはやっぱり気に食わないけれど、確かに払うだけの価値はあるんだろう。そう晶水が内心でつぶやいたとき、ふいに壱が顔をあげた。

なぜか窓越しに、ばっちりと目が合う。

慌てて晶水は柱の陰に隠れた。

動悸《どうき》が速まっていた。つう、と冷えた汗が頬をすべり落ちる。

なんだか今日のわたしは逃げてばっかりだ、と彼女は思った。美舟、雛乃、そして壱。誰の目も正面から見つめることができない。

唇を噛んだ。

やがて晶水はゆっくりと踏みしめるようにして、保健室に向かって歩きだした。

引き戸をあけて一歩入る。彼女を見た途端、

「あらあなた、ひどい顔いろよ」

と養護教諭は目をまるくし、真っ先に体温計を差しだしてきた。

結果、液晶の表示は『37・4℃』。高熱というほどではないが、けして馬鹿にできない数値だ。

解熱剤を一錠もらい、すすめに従ってベッドで一、二時間休んでいくことにした。

薬品くさいごわごわのシーツに横たわりながら、

「目をつぶるだけ。眠るわけじゃない。すこし目をつぶって横になるだけ」

と晶水は自分に言い聞かせた。

学校で眠りたくはなかった。寝たらきっと、あの夢をみる。うなされる自分を見られるのはいやだった。晶水は己が寝言を言うたちかどうかを知らない。だがもしなにか言ってしまったら、そして聞かれたら、と思うだけでぞっとした。

硬い枕《まくら》に頭をゆだねる。目を閉じる。

伏せたまぶたの裏で、こまかい緑の光がいくつも踊っている。目があけられない。あけたくない。右膝がやけに疼いて痛むのは、熱のせいだろうか。

数分で、早くも意識がとろとろと溶けかけていた。どうやら自分で思った以上に疲れていたらしい。落ちていくのがわかる。沈んでいく。

闇があった。

闇の底に、白が閃《ひらめ》く。揺れているのは、白い手だ。何十もの細い白い腕が、晶水を手まねくように揺らめいている。

いやだ。落ちたらあれにつかまる。あそこに落ちていくのはいやだ。

もがこうとしたが、体が動かなかった。

手足が言うことを聞かない。声も出ない。沈んで、沈んで、もうあの手はすぐそこだ。脚に指先が触れそうだ。ほら、いまにも足首に、白い指が——。

「石川！」

声がした。あたたかい腕が自分を摑《つか》むのを感じた。

ぐい、と力まかせにひきずりあげられる。まるで幼い頃、海で溺《おぼ》れて母に助けられたときのようだ。はるか頭上に海面が見える。陽光を透かした水が淡くきらめき、青に、瑠璃《るり》に、薄藍いろに変化する。

一気に意識が浮上した。

――水の外だ。

そう思った瞬間、目が覚めた。

まず視界に入ったのは、見知らぬ天井だった。雨漏りでもしたのか、一角が灰いろに滲んで染みになっている。つんと消毒薬の匂《にお》いが鼻を襲う。

ああそうか、保健室だ、と気づいた。寝がえりをうって、途端にぎょっとする。

山江壱がそこにいた。

まだジャージ姿のままだ。ベッド横のパイプ椅子に腰かけ、眉根を寄せて晶水を覗きこんでいる。

「ちょ――な……」

咄嗟《とっさ》に、うまく言葉が出てこない。

なんであんたがここに。なにしてるの。なんのつもり。変態か。まさか、なにか寝言なんて聞いてないでしょうね。

そういえば、あの声は山江に似ていた――いや、それより授業はどうした。養護の先生は、いったいどこに行ったんだ。

訊きたいこと、言いたいことがぐるぐると頭の中を駆けめぐる。しかしやはり、まともな言葉になってくれそうにない。

ひたすら狼狽《ろうばい》する晶水をよそに、

「ごめん」

と壱は低く言った。

「こんなとこまで来るのどうかと思ったけど、やっぱ、心配でさ」

冷静な声音だった。

まっすぐに晶水を見つめ、一語一語区切るように語りかけてくる。虹彩の大きなあの真っ黒い瞳が、やけに近い。そらすことなく凝視してくる、澄んだ鏡のような眼。

「なあ、石川」

「え、な――なに？」

思わず晶水は口ごもった。

壱は彼女を見据えたまま、

「よかったらでいいんだけどさ、いっぺん、うちのばあちゃんに会ってみねぇ？」

そう、さらりと言った。

4

赤みの強い橙《だいだい》いろの夕焼け空の下を、壱と肩を並べるようにして晶水は歩いていた。長いだらだら坂を、ふたりでゆっくりとくだっていく。

父には「すこし帰りが遅れる」とメール済みだった。乙彦からの返信はないが、いつものことだ。よほどのことでもない限り、父は娘とはメールも電話もしない。

「明日も晴れだな」

ぽつんと壱が言う。

「え？」

「夕焼け、真っ赤だ」

「ああ」

晶水はあいまいにうなずいた。

横目で、そっと壱の顔をうかがう。

——そういえばわたし、ちょっと前こいつに好きだって言われなかったっけ。

でもこいつ、ぜんぜん態度変わらないし、いまだってふつうすぎるくらいふつうだ。「好き」って、べつにそういう意味じゃなかったのかもしれない。第一山江って、見た目も言動も小学生みたいだもんね。きっと深い意味はなかったんだろうな。

——真に受けて、損した。

そこまで考え、自分で自分にはっとする。

いやいや違う。なに、損ってなに。べつになにも期待してたわけじゃないのに、損も得もあるわけないじゃない。なにをがっかりしてるんだろう。いろいろあったせいで、わたし、ほんとに馬鹿になったんじゃないだろうか。

と、ひとりで激しく首を振っていると、

「石川」

すっと壱が右手をあげた。

「ここ、おれん家《ち》」

「え……」

晶水は足を止めた。

坂のどん詰まりに、一軒の古屋があった。

銀鼠《ぎんねず》の瓦屋根をかぶった、やや背の低い二階建ての木造家屋だ。

玄関も窓もクラシカルな格子戸で、飾り入りの磨り硝子《ガラス》が嵌《は》まっている。格子は手ずれがして、つやのある飴《あめ》いろに光っていた。築何十年か見当もつかないが、おそらく建てた当時はかなりの「モダンな家」であっただろうと思えた。

戸口の横には、真っ黒い木製の看板が風に揺れていた。壱が手を伸ばし、看板をひっくりかえしてみせた。金泥で描かれた『ゆめみや』の四文字が目に入る。

壱がにっと笑い、

「これ、ばあちゃんの本業なんだ。いろいろあっていまは休業中だけど、おれの友達だって言えば断んないからだいじょうぶ」

と言った。

格子戸をあけ、「ばあちゃん、友達連れてきたー」と奥に声をかけながら、壱が三和土《たたき》でさっさとスニーカーを脱ぎちらす。

「はあい」と、家のどこかから応える声がした。

慌てて晶水も、

「おじゃまします」

とローファーを脱いだ。框に膝をついて靴を揃《そろ》える。黒光りのする床が、きゅっといい音をたてて鳴った。

どうやら壱の「ばあちゃん」とやらは、勾配《こうばい》のきつい階段をのぼった先にいるらしかった。しかたなく、晶水も彼を追って階段をのぼる。

のぼりきった先に、壱の背中が見えた。

晶水は目をすがめた。障子戸がひらいて、奥の一室が見わたせる。

部屋の造りは、土壁に畳敷きと純和風だった。が、籐《とう》製の座椅子や硝子のテーブル、吊りさがった真鍮《しんちゅう》の二灯シャンデリアなどが、室内に独特の雰囲気をつくりだしている。

その奥に、渋いろの銘仙《めいせん》を着た老女がいとも端正に座っていた。

――イメージが違う。

そう晶水は思った。この家も、祖母もだ。山江壱本人とは、あまりにイメージがかけ離れている。

だが当の壱は、

「ばあちゃん。昨日言った友達連れてきた」

といつもの口調で、あいかわらず屈託のかけらもない。

「あらあら、これはまあ、えらい別嬪《べっぴん》さんだこと」

つと首をかたむけて、老女がにっこり笑った。

その抑揚には、はっきりと関西訛《なま》りがあった。和服の似合うたたずまいともあいまって、とりまく空気がなんとも上品だ。

「壱の祖母の、千代と言います。いつもうちの孫がお世話になって」

「いえそんな。あの、こちらこそ」

へどもどと晶水は頭をさげかえした。

「あの、石川――と言います。いきなりお邪魔してすみません」

「いいのよ、そんな堅苦しい挨拶せんでも」

笑みを浮かべた頬が皺深い。が、表情はまるで童女のようにあどけない。

「なに飲まれます？　ごめんなさいね、うちは誰もコーヒーを飲みませんよって、お茶しかないの。ええと、緑茶と玄米茶とほうじ茶と、もらいもののカモミールがありますけど」

「あ、はい。緑茶をいただきます」

すすめられた座布団を、晶水はいったん固辞してから座った。

どうぞ足を崩して、と言われたが、とうていそんな雰囲気ではない。それどころか、背すじが勝手にぴんと伸びてしまう。

湯気のたつ丸湯呑《ゆのみ》を茶卓に置いて、

「うちの家業のこと、イチからどないに聞いてます？」

と千代がやんわり微笑んだ。

「え、いえ、あの、あんまりくわしくは」

湯呑を口から離して、晶水は舌をもつれさせた。

ほんとうのところを言えば、あんまりどころかなにひとつ聞いていない。ただ壱に、

「ばあちゃんに会ってみねーか」

と言われ、なんとなく勢いに押されてうなずいてしまった。それだけだ。晶水はうろたえながら、なんとか窓の下を指した。

「あのう、さっき看板に『ゆめみや』って」

「そう。夢見屋ね。まさに読んで字のごとくの商売なのよ。それでお嬢さんは、いったいどんな夢に悩まされてますの？」

ぐっ、と晶水は詰まった。思わず横の壱に視線を流す。

その意味を誤解したのか、千代は笑って、

「だいじょうぶよ。イチの友達からは、お銭《ぜぜ》とれへんから」

と手を振った。

壱が苦笑する。

「ばあちゃん、たぶん石川は金のこと気にしてんじゃねえと思う」

「あらそうか。ごめんなさい」

千代は袂《たもと》を口にあて、目を細めた。

「いちいち金のこと言うのやめようぜー。それじゃいかにもうちが困ってるみたいじゃん。って、まあ実際困ってんだけど」

いとも明るく壱は言って、晶水を振りかえった。

「うち両親いないからさ。店が休業中なもんで、いまは爺婆《じじばば》の年金だけで暮らしていかなきゃいけねーの。だからせめておれがバイトできればいいんだけど、うちの高校ってアルバイト禁止じゃんか」

その瞬間、晶水の脳裏に過去の光景が瞬いた。ハンドボール部の二年生。指を三本立ててみせた壱。

「ああ、それで――」

「そう。だからおれ、運動部の助っ人で小遣い稼ぎしてんの」

彼は晶水の顔を覗きこみ、にやっとした。

「石川、『レギュラーさしおいて試合に出るくせに、それで金もらうなんて何様のつもり』って思ってただろ」

ぎくりとする。

ははっと壱は笑って、

「いんや、それはいいんだべつに。そう思われて当然だしさ。入学前にバイトOKな学校かどうか、確認しなかったおれが悪《わ》りぃ」

あっけらかんと言いはなつ。だが晶水は首を曲げて、彼から視線をそっとはずした。

――山江の言うとおりだ。

確かにそう思っていた。もう二度と走れない自分のそばで、金をもらって試合に出る話なんかやめてくれと苛立ってもいた。目の前で「バスケ部」の単語が出されたときはなおさらだった。

でも、家計を助けるためだったのか。それならしょうがないと思える。こわばっていた心が、じわりとやわらぐ。

ほっと息をついて、晶水はふたたび湯呑をとりあげた。

濃い緑茶が舌に沁《し》みる。考えてみれば、誰かの淹《い》れてくれたお茶を飲むなんてひさしぶりだ。

「ごめんね。それで、話を戻しますけど」

千代が静かに言った。

「お嬢さんは、いったいどんなよくない夢をみるの？　顔いろからいって、もうだいぶ長いことよく眠れていないようだけれど」

「あ――いえ」

晶水は手を振った。

「だいじょうぶです。あの、体調わるいのは風邪気味なせいもあって……その風邪もたいしたことないですし。もともと体力には自信あるんで、ぜんぜんへいきです」

「お嬢さん、いいのよ」

猫のように千代が目を細めた。

はんなり、という形容が、まさにぴったりくるような笑顔だ。

「夢に悩まされるのは、恥ずかしいことじゃありません」

静かな口調だった。

「夢というのはよくしたもんで、起きている間に仕入れたいろんな情報を整理しておいてくれるの。いらないものは遠くの行李《こうり》にしまったり、逆に近ぢか使いそうなものは手もとの抽《ひき》斗《だし》に入れておいてくれたりと、うまいこと片づけてくれるのね。でもその整頓《せいとん》がなにかの理由ではかどらなかったり、心の清算がうまくつかなかったりすると、悪夢が一晩きりでは終わらなくなるのんよ」

「――はあ」

老女の口舌に、しばし晶水はとまどった。

ひとまずあいまいにうなずいて、

「じゃあ、同じ夢ばかり毎日みるというのは……どういうことなんでしょう」

おずおずと訊いてみた。

「そうねえ」

千代が首をかしげる。

「いろんな可能性がありますよって、一言では答えられへんねえ。たとえばあなたの心がいつまでもそこにとらわれていて、前へすすめずにいるのかもしれない。もしくは無意識があなたにサインを送って、ＳＯＳを出しているのかもしれない」

「サイン？」

「夢というのんは過保護でね、『これを生の素材でみせたら、本体がつぶれてしまうかも』と判断すると、情報をそのまま出してきませんの。ねじ曲げたり、象徴化したり、べつのものにすり替えて夢に出したりするのよ」

象徴。そういえば壱もそんなことを言っていた。

さらに千代が言葉を継ぐ。

「脳はなにもかも覚えているけど、意識というのはそうじゃないのね。見たくない、聞きたくないものは認識を拒否したりもする。たいていは拒否したところで、どうともなれへんのよ。でも、ごくたまぁに、無意識が『これを無視したらだめ』ってサインを送ってくることがあるの」

「そのサインにいつまでも気づかずにいたら……どうなるんですか」

「それもまあ、場合によるわね。気づくまで同じ夢が繰りかえされることもあるし、さらに複雑化していくこともある。さっきも言ったように夢の機能というのは本体に甘いから、強制的に気づかせるようなことはしないのよ。その代わり、じりじりじりじり、神経が削られていく」

まさにいまのお嬢さんみたいにね――と、千代はつけくわえた。

「夢というのは、そう、無意識の集合体とでも言えばいいのかしら。すこしずつ解いて、ほどいていけば、いろんなものが散らばっている。意識にのぼらせていないことでもなにもかも、ヒントとしてそこに在るのよ。わたしはね、それをちょっとばかり覗かせてもらうの」

「はあ」

晶水はまた生返事をした。

いろいろむずかしいことは言っているけれど、つまりこの人は夢分析のようなことをするんだろうか。歯が抜ける夢は不安のあらわれだとか、蛇の夢は欲求不満だとか俗に言うあれか。だとしたら申しわけないけれど、ちょっと拍子抜けだ。

そう内心でつぶやいた途端、

「じゃあさっそく、する？」

と千代は言った。

晶水が目をまるくする。

「え？」

するってなにを。

だがそう口に出して訊くより早く、

「でもねえ、イチじゃ相方にはまだいまひとつ頼りないのよね」

千代が眉を曇らせる。

「前はね、亭主が長いこと相方やってくれてたんよ。でももうあの人も歳でね。動脈瘤の手術やらやったせいで、体がめっきり言うこときかなくなってしまって。人ひとり〝ひきあげる〟には、気力も体力もいるよって、なかなか無理もさせられませんし」

「だいじょうぶだって、ばあちゃん」

むくれ顔で壱が言った。

「おれ、今日も石川のこと〝ひきあげた〟しさ。まあまだ深いとこにいなかったから、うまくいったってせいもあるけど」

「あの……なんのこと？」

勝手にすすんでいく祖母と孫の会話に、ようやく晶水は割って入った。

目の裏に、あのきらめく水面がよみがえる。たゆたい、屈折して歪みながらも斜めに射しこんでいた陽光。暗く深い底から、ぐいとひきずりあげてくれたあの腕。

「今日、〝ひきあげ〟たってまさか……」

「そうか。お嬢さんはもう経験者なんやね」

千代の言葉に、晶水は絶句する。

安心させるように、千代がゆっくりと微笑した。

「心配いらへんよ、それと同じことをするだけ。——わたし、あなたの夢に〝いっしょに入る〟のよ」

5

人の悪夢について訊き、眠らせて、起こして、ほどく。

それが手順なのだと山江千代は語った。

千代は相談者とともに夢の深いところに入る。そして相方がふたりを〝ひきあげ〟る。つまり意識を表層までひき戻して、強制的に目覚めさせるのだという。

「大昔はひとりで両方やったもんだと言うけど、そのかわり当時は事故も多かったそうよ。やっぱりふたり一組の方が安全みたいねえ」

と千代は言った。

あのときなぜあんな荒唐無稽《こうとうむけい》な話を信じてしまったのか、と、いまでも晶水は不思議に思うことがある。

ふだんの彼女ならば耳に入れるなり「からかってるのか」と呆《あき》れ、ことによっては「次は宗教の勧誘でもする気か。ふざけるな」と憤って席を立っていたはずだ。ことに事故以降の、ささくれだって全方位に攻撃的だった晶水ならなおさらである。

だがその瞬間の彼女は、千代の言葉をいともすんなり受け入れた。

家と千代のかもしだす空気に飲まれたのかもしれない。はたまた、三十七度なかばの微熱が判断力を鈍らせたのかもしれない。

ともかくも晶水は、その場で「眠る」ことに同意してしまったのだった。

千代がのべてくれた敷布団に、晶水は制服のまま横たわった。

すぐ横に千代も寝そべる。骨ばった細い指が、晶水の手首をそっと握る。

「あの、わたし、寝つきあんまりよくないかも――」

言いかけた言葉は、無言の笑みでさえぎられた。

千代の向こうでは、壱が蹲踞《そんきょ》の姿勢で畳にしゃがみこんでいる。彼に視線でうながされるままに、晶水はまぶたをおろした。

目を閉じてみて、わかった。

寝つき云々《うんぬん》は確かに杞憂《きゆう》だった。あっけないほど簡単に、彼女の意識は深みへとひきずりおろされていった。

薄闇の中を、晶水は歩いていた。

かたわらに母がいる。夢だ。いつものあの夢だった。

だが常と違うのは、すぐそばに千代の気配があることだ。姿は見えない。だが彼女が自分の手首を握り、ともに同じ速さで、同じ歩幅で歩いている。それをはっきりと感じる。

心強かった。なぜか、恐怖が薄れていくのがわかった。夢へのおびえはまだあったが、逃げだしたくなるほどではない。

ああそうか、と晶水は思った。千代とともに訪れることによって、ここには『第三者』の視点が入ることになるのだ。彼女の目を通して、夢を客観的にみられるようになる。怖さが薄まったのはそのせいかもしれない、と晶水はどこか冷静に考えた。

足がいつもの地点へさしかかる。ひとりでに身が硬くなる。

地面から、ゆらりと無数の白い手が立ちのぼる。来た。あの夢の幕開けだ。また、あれがはじまるのだ。

細く長く白い腕が、乞うように揺れる。陽炎のごとくたなびいて、もの欲しげにさざめく。

——欲しいの。欲しい、欲しい欲しい欲しい欲しい。

——ちょうだい。もっとちょうだい。なにもかもすべて、ひとつ残らずぜんぶ。

次つぎと泡のようにぼこっ、ぼこっと生まれくる半透明の子供らが、晶水の眼前に姿をあらわす。彼らがささやく。嘲《あざけ》るように笑う。

臆することなく、はじめてまともに晶水は子供たちを眺めた。

気味がわるい、と思う。怖いとも思う。生理的嫌悪はやはり拭えない。でもいつもよりずっとよく見える。視界がやけにクリアだ。

子供らの奇妙な目が複眼などではないことを、そのとき晶水はようやく知った。

あれは——そう、眼鏡だ。もと眼鏡だったものが、夢の世界に棲《す》まううち歪んだものらしい。顔と一体化し、なかば溶けかけている。そのせいで、顔面から直接盛りあがって見えるのだ。

——大きな眼鏡。

——顔と溶けて見えるほど、奇妙にひろがった眼。

ふたつのキーワードが、晶水の中の記憶を呼び覚ます。事故多発地帯。大きくぶ厚い眼鏡をかけた子供。

——子供。

誰かが背後から耳朶《みみたぶ》に口を寄せる。

いいのよ、とささやく。千代だ、と晶水は思った。この声は千代だ。いいの、思いだしていいんよ、と甘くひそやかにささやいてくる。

どくん、と晶水の鼓動が跳ねた。

思いだす。あの道で目撃した——そう、二度目の事故だ。

死んだのは、晶水の同級生だった。

小柄で、顔より大きな度のきつい眼鏡をかけていた。遠視用の眼鏡を通してやけに大きく見える目が昆虫のようだと、のろくさい動作ともあいまって、よくいじめられていた。

たぶん晶水は、その子に好かれていた。

なぜって晶水は彼女を一度も笑わなかったし、悪口も言わなかったし、つまはじきにもしなかったからだ。でも、それだけだ。積極的に話しかけてやったことも、仲間の輪に入れてあげたこともない。

なのに彼女はいつも、無言で晶水のあとをついてきた。振りかえるたび、嬉しそうに笑った。あの笑顔を思いだすと胸が痛む。どうしてもっと仲良くしてやらなかったのかと、罪悪感でじくじく疼く。

あの時期、例の道での事故は減りつつあった。

町内会がつくって立てかけた交通安全看板が、予想以上の効果をあげたのだ。ゆるいカーブの手前に、

『この先カーブあり！　直線道路ではありません』

と毒々しい赤地に墨で記しただけのシンプルな看板だったが、よく目立った。

「直線に見えるが違う」というダイレクトな呼びかけがよかったのかもしれない。ともかく事故は目に見えて減った。それに反比例するように、あの道を通学路につかう子供たちもふたたび増えはじめていた。

そんな矢先だった。

その朝、晶水はまた遅刻しかけていた。

理由はよく覚えていない。確か出がけに、父の習慣を乱すようななにかが起こったのだ。

やっと家を出られたのは、いつもより二十分も遅い時刻だった。

くだんの道で事故が減りつつあることを晶水は知っていた。

――安全になったんだから、いいよね。

そう自分に言い聞かせて、横断歩道を渡った。

学校に向かって走りながら、晶水は視界の隅に「あの子」の姿を認めた。顔より大きな遠視の眼鏡に、痩《や》せっぽちの体。真っ赤なランドセル。あの子だ。

晶水は手を振った。

でも振っただけで、待ってはやらなかった。

追いつくのを待っていっしょに走ってやっていれば、あの子は死ななかったのではないか。そう、いまでもふと思うことがある。だがともかくも、そのとき晶水は足を止めなかった。

背後で急ブレーキの音と悲鳴が湧いたのは、それから一分と経たぬうちのことだ。

焦げくさい匂いが鼻をついた。

立ちどまり、ゆっくりと晶水は振りかえった。

まず、黒っぽいセダンの尻が見えた。ガードレールに鼻づらを突っこんでいる。前面がひしゃげて、ぐしゃぐしゃだ。誰かの悲鳴がつづいている。黒い煙があがっている。そして、車の下から覗いていているあれは――。

あれは、人の手だ。

そう気づいた刹那、晶水は腕を引かれ「見ちゃだめ」と誰かの腕に抱きかかえられていた。顔をあげる。知らないおばさんだった。とっさの判断で晶水には見せまいとしてくれたのだと、思いいたったのはずいぶんあとになってからだ。

死んだのは「あの子」だった。

彼女は晶水のあとを追って走ろうとし、例の錯覚にみまわれたセダンと、ガードレールとの間で無残につぶされたのだった。

カーブを知らせる交通安全看板は、なぜか消え失せていた。

そしてさらに翌週、死亡事故の衝撃さめやらぬ道路で再度の惨劇が起きた。配送中のトラックが登校中の子供の列に突っこんだのだ。六人が重軽傷、二人がその場で死亡という、朝刊の三面トップを飾る大事故であった。

以後、その道は二度と通学路としてつかわれることはなかった。いまでは人も車も、ほとんど通ることはない。近隣では「魔の道」として忌み嫌われるまでになった。

消えた交通安全看板は数箇月後、ひょんなところから見つかった。

カーブの手前には、豪奢《ごうしゃ》な門がまえと広い庭とを持つ邸宅が建っていた。だがその住人は還暦を過ぎた頃から、

「ものが捨てられない」

「気に入ったものをなんでも拾ってきて、家の中に溜めこむ」

という悪癖を発症していた。あの真っ赤な看板は家主の目をひき、コレクションの一部にくわえられたのだ。

町内会は激怒して、その屋敷にねじこんだ。が、もちろん家主を殺人罪になど問えるはずもなかった。警察はおよび腰で、屋敷のあるじに対し簡単な説諭をおこなったのみに終わった。

それが晶水の中の「二度目の事故」の顛末《てんまつ》だ。

——それで、三度目はどうなったの。

耳もとでささやきが聞こえる。

晶水は首を振った。いや。やめて。それは思いだしたくない。

だが意志とは逆に、記憶の扉がひらきかけている。軋《きし》んで、光が洩れはじめている。止められない。

——止められない。

三度目の事故が起こったのは、わずか半年前だった。

母と晶水は、帰路を急いでいた。週末恒例である水那子の買い出しに、荷物持ちとして晶水が駆りだされたかたちだ。

　時刻はとうに七時を過ぎ、すっかり日の短くなった秋の夜は、とっぷりと濃い闇に包まれていた。

「ちょっとアキ、ひとりで先に行かないでよ」

「だって、八時から観たい試合があるんだもん。ＮＢＡのレギュラーシーズン、今日が開幕戦なの」

　くだんの道を通ろう、と言いだしたのは晶水の方だ。水那子はけして乗り気ではなかった。だからこそ晶水は、それをいまだに悔やんでいる。

「早く帰らないと、またおとうさんがパニック起こしちゃうかもよ」

　との晶水の言葉に、しぶしぶ水那子はうなずいた。ふたりは小走りに、一灯式信号が赤く点滅する歩道を渡った。

　――なぜあのとき、わたしはあそこを通ろうなんて言ってしまったんだろう。

　その後、何度も晶水はそう自分を責めることになる。ふだんあの道を恐れていたのは、母ではなくむしろわたしだったのに、と。まさに魔がさした、としか言いようがなかった。

　肝心の事故については、ほとんど記憶がない。

　かろうじて、背後からヘッドライトが近づいてくるのを見た気はする。だがブレーキの音は聞かなかった。

意識が戻ったときは、もう病院だった。

枕もとの父が紙のように白い顔をして「轢き逃げに遭ったんだ」と言うのが、ひどく遠く聞こえた。

母は即死だったという。

晶水は、右膝の靭帯《じんたい》と半月板をやられた。損傷がひどく、二度手術したが完全にもとどおりにはならなかった。

晶水はバスケ部をやめた。県内有数の強豪校からの、特別推薦の話も立ち消えとなった。「身体能力も技術面も、十年に一度の逸材」だといつも手ばなしで賞賛してくれた監督は、見舞いはおろか母の葬儀にさえ来なかった。

晶水は無口になった。まわりみんなが自分をあわれみ、笑っている気がして、無闇やたらに神経をとがらした。友達はみんな離れていった。親友の美舟とも疎遠になった。卒業間際には、晶水は完全にひとりになっていた。

——思いだしたくない。

思いだしたくないの。やめて。もう見たくないのに、目の前に突きつけないで。両目をきつく閉じ、晶水は叫んだ。追体験なんかしたくない。もう、わたしをそっとしておいて。

そのとき、彼女の手をぐいと誰かが摑《つか》んでひいた。

反射的に身がまえる。が、耳もとで千代の声がした。

——起きるんよ。

ささやかれる。

ああそうか、目が覚めるのか。晶水は体の力を抜いた。それならいい。だって、もうこの夢の中にはいたくない。

体が浮きあがる。一気に浮上する。

ぱっとまぶたをひらいた。

見慣れぬ敷布団に、晶水は横たわっていた。首を曲げる。千代と、その向こうに壱の顔が見えた。

窓から射しこむ陽が、やけに眩《まぶ》しい。

千代がゆったり微笑んだ。

「はい。一回目は、これでおしまい——」

家に戻ると、父はすでに夕飯を済ませてソファでテレビを眺めていた。

「帰りに伊勢屋の海苔巻《のりまき》を買ってきたんだ。そこにあるから、よかったら食べなさい」

「うん、ありがとう」

晶水はうなずいた。伊勢屋とは、母がいっときパートでつとめていた老舗《しにせ》の弁当屋の名だ。キッチンでひとり、晶水は硬くなりかけた海苔巻を緑茶で胃に流しこんだ。ざっとシャワーを浴び、薬箱から葛根湯《かっこんとう》をとりだして一包飲むと、

「ちょっと風邪っぽいから、もう寝るね」

と父親に声をかけて、自室へとひっこんだ。

ベッドに入り、目を閉じる。

微熱で薄ぼんやりした頭に、いくつもの情景が瞬き、流れては消える。

白い手の夢。死んでしまった同級生。嘲笑う半透明の子供。腕の傷。轢き逃げされた挙句、娘の夢でさらに何度も殺される母。

壊れた右膝。病院。白い天井と医師の顔。血の気を失っていた父。通報してくれた、第一発見者だという男性。警察官。見舞いに来てくれた美舟や、部活仲間たち。けれど監督は来なかった。最後の最後まで、一度も来なかった。

頭が痛い。熱いのに、寒気がする。膝がやけに痛むのは、熱があがってきたせいだろうか。

眠気が襲ってきた。だが眠りたくはなかった。うとうとしかけ、そのたびにはっと目を覚ます。眠るのが怖い。あの夢をみたくない――。

翌朝の気分は最悪だった。

熱はあえてはからず、登校した。思考がどんより濁っている。頭がうまく動かない。

美舟と雛乃が、顔を突きあわせて話しているのが見えた。

なぜだろう、あのふたりは仲良くなんかなかったはずなのに。二対の目が、ちらりと晶水をうかがう。横目で盗み見ては、ひそひそとなにやらささやきかわす。

晶水はこめかみを押さえた。

違う。違う。わかってる。あれは悪口なんかじゃない。

強く自分に言い聞かせる。だって、トシはそんなことしやしない。あの子がわたしの陰口なんか言うはずない。そんな子じゃないことは、誰よりよく知っている。

でも――ああ、だめだ。

立ちあがり、晶水は逃げるように教室を出た。向かった先は、A組だった。

山江壱を目で探し、彼の机の横に立つ。

「ごめん。……今日もあんたんち、行っていい？」

壱の後ろの席の男子が、晶水の言葉に目をまるくする。友人らしき生徒の肩を叩き、にやにやとささやく。

「おい、あれってC組の女子だろ？」

「イチ、誘われてんじゃん。すげえな」

晶水は振りかえり、ぎろりと睨んでやった。

男子生徒の顔から、瞬時に血の気と笑みが消える。彼が顔をそむけるとほぼ同時に、壱が
「いいよ」と答えるのが聞こえた。

「いいよ。でもおれ掃除当番だから、終わるまで校門とこで待ってて」

からかう調子など微塵《みじん》もない、乾いた口調だった。

無言でうなずいて、晶水はA組を出た。

ふたりで山江家に着いたとき、空は晴天の青に夕焼けの桃いろを刷いた、春の微妙な色あいを見せていた。

千代に会うやいなや、

「昨日あれから、いろいろ考えました」

と、晶水は胸に溜まった言葉を真っ先にぶつけた。

「でも考えれば考えるほど、煮詰まっていくんです。なにをどう考えても、『自分のせいだ』って結論に戻っていくだけで、どうしてもそこから動けない。どうどう巡りなんです」

片手で顔を覆った。

「もと同級生の、あの女の子。わたしがほんのすこし足を止めて待ってあげていれば、あの

子はあせって追ってくることもなかっただろうし、もっと早く車に気づいたかもしれない。母だって同じです。わたしがあの道を通ろうと言わなければ、母はいまも生きていたはずです。だから、どっちもわたしのせい。わたしのせいでふたりとも死んだ。きっとそのことにわたし、耐えられなくなってるんですよね。だからこそいつも、あんな夢ばっかり――」

「まあ、待って」

やんわりと千代はさえぎった。

しかし晶水の言葉は止まらなかった。

あの不用意な言動がなければ、母は死なず、わたしはまだバスケをやれていたのではないか。だとしたらわたしは、これから誰になにをどう償《つぐな》っていけばいいのか。

まさか、あの子が自分と母を〝呼んだ〟のか。そんな非科学的なことがあるはずがない。それはわかっている。なのに、考えてしまう己がいやだ。

あの子ともっと仲良くすればよかった？　あの道を通らなければよかった？　いや、それとも母でなく、あのとき自分が死ぬべきだったのではないか――？

そこでようやく晶水は口を閉ざし、顔を伏せた。

しばしの間、誰もなにも言わなかった。

長い沈黙が落ちた。

やがて、千代の唇がひらく。

「お嬢さんは……いろいろ背負いすぎているのね。それが夢をよけいややこしくしている。でもね、世の中の悪いことがぜんぶ誰かのせいだなんて、そんなことはありえへんのよ。たかが人間ひとりに、そんなたいそうな力はありません」

きれいに結いあげた鬢《びん》のあたりを手で押さえ、

「今日は二度目の『ゆめみ』はやめておきましょう」

静かに言った。

「――また、近いうち来なさいな」

6

しかし千代のその誘いとは裏腹に、晶水はそれ以後、山江家に足を向けることはなかった。

あっという間に半月が経った。

その間も、やはり例の夢はおさまらなかった。

ただし内容は、すこしずつかたちを変えていった。

半透明で不定形だった子供たちは、ひとり消えふたり消え、数を減らすにつれて確かな血肉を持ちつつあった。

ゼリーのように頼りなかった体に、肌いろの皮膚が張った。ぬるりとくねる胴体には、おたまじゃくしが蛙に変態するように、なまなましいピンクいろの足が生えた。

水那子の死体をちぎっていくのは、いつしか白い手ではなくその子供になっていた。

「やめて！」

夢の中で晶水は叫ぶ。

「おかあさんを持っていかないで、お願いだからかえして」

やめて欲しいか。やけにしわがれた声が応える。

――やめて欲しいなら、かえして欲しいと言うなら、代わりをよこせ。

晶水は目をしばたたく。

うっすらと相手の意図が摑め、首すじがすっと寒くなる。そんな彼女を追いつめるように、さらに低く声は響く。

――わかるだろう。

――それなら代わりに、おまえをよこせ。

悲鳴をあげ、晶水は飛び起きる。

体は寝汗でぐっしょりだ。パジャマもシーツも濡れている。いっこうに微熱はさがらない。

頭痛も去ってくれない。

また山江家へ行きたい気持ちはあった。だがあの日無理に押しかけ、やつぎばやに言葉と感情をぶつけたことが晶水の負い目となっていた。

会ったばかりの赤の他人に、いったいなにをどこまで甘える気だったんだろう。それを思うと自分が恥ずかしかった。

思いかえすほどに羞恥《しゅうち》はつのり、休み時間のたびC組を覗いていく壱からも、彼女は逃げまわるようになった。

風邪のひきがけに似た症状はいつまでも治らず、薬ばかりを飲みつづけた。夢に悩み、父の世話に追われ、晶水は泥のように疲れきっていった。

時間だけが無為に過ぎ、体力は刻々と削られていく。

「……あの、ひょっとして石川さんちのお嬢さんじゃないかな」

だからそう路上で声をかけられたときも、晶水はしばらく言葉の意味が摑めなかった。

目の前に立っているのは、三十代なかばとおぼしき痩せぎすの男だ。どこかで見た顔だと思う。だが鈍った頭は、なかなか記憶の抽斗をあけてくれない。

男が眉をさげた。

「覚えてないかな。あの、武内です。おかあさんとの事故のとき、ぼくがたまたま最初に通りかかって通報したんだけど――」

「ああ」

晶水は首を縦にした。

そうだ、見覚えがあって当然だ。わたしが入院しているとき、お見舞いに来てくれたじゃないか。

若白髪まじりで、丸っこい眼鏡をかけ、目尻には浅い皺が寄っている。どこか頼りなげな顔つきを「映画に出た俳優じゃなく、挿絵の方のハリー・ポッターに似てる」と思ったものだ。いまも男は、あのときの印象そのままだった。

「ひさしぶりだね。元気だった?」

と訊いてから「ごめん、そんなわけないね」と彼が苦笑する。

「いえ、だいじょうぶです」

晶水はかぶりを振った。

「すこしずつ、もとの生活に戻りつつあります。わたしも父も」

「そうか」

彼はいたましそうに目を伏せた。

「あれからお花も持って行かずにごめんね。忘れてたわけじゃないんだけど、なかなか仕事の都合がつかなくて」

「いえそんな」

「でもここで会ったのもなにかの縁だし、いい機会と言うのもなんだけど、おかあさんのご仏前にお線香をあげさせてもらっていいかな」

　おうち、確かここから近いよね、と武内が言う。

　晶水はうなずいた。

　まだ父の乙彦は帰宅していない。父がいないとき他人を家にあげることを、彼はひどく嫌う。でも黙っていればわからないだろう、と思った。

　なにしろ武内は恩人だ。無下《むげ》にできる相手ではない。

　いまからならお線香をあげてもらって、お茶を一杯出しても、父の帰宅前にはゆうゆう退去してもらえるはずであった。もしその前に父が帰ってきたとしても、武内の素性を説明すれば、さしもの彼も迷惑な顔はしないだろう。

「ええと、たいしたおもてなしもできませんが――」

　ぎこちなく言う晶水に「こちらこそ、いきなりでごめん」と武内は言った。


　自宅の庭に一歩入った途端、土が匂った。大気がなまぐさく湿っている。どうやら雨が近いらしい、と晶水は思った。

武内を通してから、門扉を閉める。

「あ、いいね」

ふいに武内が言った。

彼の目線を追う。が、そこにはなにもなかった。しいて言えば、敷石に花鉢が置いてあるだけだ。なんの変哲もない、ホームセンターで売っているような鉢であった。

一瞬、奇妙な違和感が走りぬけた。しかし「どうも」とだけ答え、晶水は彼の脇をすり抜けて玄関に向かった。

きっと、他人の家ではなんにでも反射的にお世辞を言ってしまうような人なのだろう。そう自分に言い聞かせた。たぶん深く考えるようなことじゃない。世の中にはいろんな人がいる。変人にだって、父の扱いでじゅうぶん慣れている。

「どうぞ」

ドアをあけ、武内を迎え入れた。

「うん、……いいね」

いま一度彼が言った。微妙にうわずった声だ。今度こそ晶水の中で、警戒センサーが高く鳴った。

しかし晶水は、その内なる声を無視した。恩人なのだから、まさか、と思った。ただでさえ彼女は最近、自分を限界ぎりぎりまで嫌いになりかけていた。これ以上人を嫌い、疑い、自己嫌悪に陥るのはまっぴらだった。

だから内なる警告に、晶水は目を閉ざし耳をふさいでしまった。武内が後ろ手にドアを施錠したことにも、まるで気づきはしなかった。

あかりとりの窓から、西陽が仄《ほの》赤く射しこんでいる。

「おとうさんは、いつも何時ごろ帰ってくるの」

靴を脱ぎながら、武内が尋ねた。

「父は基本的に残業しないので、あと一時間ちょっとで戻るはずです。六時台の電車に乗って、駅前でバスに乗りかえるのが日課ですから」

晶水は振りかえった。

「習慣が狂うのをなにより嫌う人なので、遅れることはまずないですよ」

「そうか」

低く、武内が言った。

そのときになって晶水は、やけに自分と彼の距離が近いとはじめて気づいた。顔に吐息がかかる。肩に腕が伸ばされる。

「——じゃあ、それまでに済ませなくちゃな」

陶然と彼は言った。

弾かれたように、晶水は飛びのいた。

伸びてきた腕を、反射的に利き手で払う。袖をまくった男の手に、びっしりと傷があるのを彼女は見た。

どれも浅いが、長い。何十もの白い虫が這っているかのようだった。アームカットの痕《あと》。自傷癖の痕跡だ。

晶水の脳を、激しい既視感が襲った。

腕に走る無数の傷。あの魔法使いの少年を思い起こさせる、痩せっぽちの体型。度の強い眼鏡。間近に見えるにやにや笑い。

「——最初見たときは、『なんだ、父親似だな』と思ったんだ」

武内は言った。

「でも、違った。高校生になって、きみはぐっとおかあさんに似てきた。——うん、大人になったせいかな。とてもよく、似てきたよ」

謳《うた》うような口調だった。

顔が近づいてくる。

ものも言わず、晶水は男の股間を膝で蹴上げた。

だが、予想した手ごたえはなかった。膝はひどく硬いものにぶつかった。ファウルカップか、もしくはそのたぐいの防具だ。

滑稽だった。だがその滑稽さは、ただちに晶水の中へ恐怖を呼びこんだ。

つまり彼は最初から〝そのつもり〟で、計画的にこの家を訪れたのだ。背中の産毛が、一瞬にしてぞわりと逆立った。

男の腕が、晶水の両肩を摑んだ。指が、爪が、皮膚に食いこんでくる。

晶水は顔をしかめ、舌打ちした。

身長はほぼ同じだ。だが体重と体格は男に分《ぶ》がある。部活で鍛えていた頃なら、勝てないまでも組み合って倒されない自信はあった。でもいまの筋力ではたぶん無理だ。おまけに膝のハンデがある。

武内が、摑んだ腕を力まかせに引いた。

かくりと晶水の右膝が折れかける。バランスが崩れる。左足を突っぱって、なんとか転倒をこらえた。

――いま倒されたら終わりだ。

押し倒され、マウントをとられてしまえばもはやなすすべはない。上から一方的に殴りつけられ、戦意を剝《は》ぎとられたなら——あとは、父が帰宅するまで一時間強。その間なにが起こるかなんて、考えたくもない。

「ぼくのこと、おかあさんから聞いてる？」

武内がささやく。

晶水は歯を食いしばり、かぶりを振った。

右膝がぎしぎし軋む。武内が体重をかけてくる。だめだ。このポンコツの膝じゃ、きっとあと一分ともたない。

「ほんとう？　ほんとうに聞いてない？　信じられないなあ。ぼくと、おかあさんは、とてもとても親しかったのに」

「あんた、なんか——知らない」

晶水は白目で男を睨んだ。

武内が乾いた声で笑う。

「ほんとうかなあ。信じられないな。だって女は嘘つきだ。みんな、あたりまえのような顔して、へいきで嘘をつくんだものな。ねえ、きみだってそうなんだろう？」

いまは子供でも、きっとすぐ汚れるよ。だってきみたちはそういうふうに生まれついているんだものね。すぐに母親似の、嘘つきの売女になっちゃうよ——。そうささやきながら、男は悪意ある笑いを吹きかけてきた。

ぎりっと晶水は奥歯を噛みしめた。

膝関節が悲鳴をあげている。悔し涙が滲み、視界がぼやける。

――ちくしょう、こんなやつに。

半年前までのわたしなら、この体勢に持ちこまれる前になにかできていたはずだ。摑まれた腕が震える。負荷のかかった左脚が引き攣《つ》れる。だめだ、いまにも心が折れてしまいそうだ。

限界を超えた右膝が、がくっと落ちた。

次の瞬間、男の背後を、黒い影が上から下へ一直線に走るのが見えた。

武内の動きが止まった。

晶水を摑んでいた腕の力がゆるむ。

一拍の間があって、ひどく間近にあった彼の顔が、ぐるんと白目を剝《む》いた。糸の切れた人形のように、武内はその場に声もなく崩れ落ちた。

「石川！」

誰かの声がする。

聞き慣れた声だ。でも父ではない。美舟でもない。ここ数箇月の間に、すっかり耳に馴染んでしまった声――。

晶水はよろめいた。壁にもたれ、吐息をついた。

一気に安堵がこみあげる。力が抜けて、ずるずるとへたりこんでしまいそうだ。

「山江……なんで」

「わりい。玄関あいてなかったんで、二階の窓から入っちゃった」

すまなそうに壱が言う。

いや違う、そうじゃない。晶水はかぶりを振った。言いたいのはそこじゃなくて。

うまく声にならず、なんとか指先をあげる。

「山江、腕――」

「ああ」

壱の左腕が、ぶらんと垂れさがっていた。彼が右手で肩を摑む。ごき、と鈍い音がして、関節がはまったのがわかった。

「二階の窓、ぎりぎり頭が入るくらいの隙間しかなくてさ。肩の関節、はずして入ったんだ」

猫かあんたは。そう言いたかったが、まだうまく声にならなかった。

そういえば、さっきの動き。階段の手すりをのりこえて飛びおりたと思ったら、男の頭頂部にきれいに踵《かかと》を入れ、半回転して着地した。まるっきり、猫科のけもの並みの動きだった。

「ばあちゃんが『あの子のまわりに注意しとけ』って言うし、おれも心配だったからさ、こっそり毎日あと尾《つ》けてたんだ。そしたらへんな男がこの家のまわり嗅《か》ぎまわってて、こりゃおれらより警察の出番じゃないかと迷ってたわけ」

壱が苦笑する。

「なのに石川、そのへんな男とフツーに家ん中入っていっちまうんだもん。やべーと思って、黙って二階から入らせてもらっちゃった。ごめんな」

いまだ呆然《ぼうぜん》としている晶水を、不安げに彼は覗きこんで、

「あの、言っとくけど入ってすぐ飛びおりたから、勝手に部屋覗いたりしてねーよ。パンツとかあさってないんで、そこは心配しなくて……」

「誰が！」

誰がそんな心配するか！　と晶水は絶叫した。

ようやく声がすんなり喉を通り、胸に溜まっていた澱《おり》も、なぜだか同時にすっと消えた。

途端に膝が力を失い、ついに彼女はその場にへたへたと座りこんだ。

「おい、だいじょうぶかあ？」

降ってくる壱の声を聞きながら、晶水は頭の片隅でようやく「一一〇番」の四文字を思っ

た。

駆けつけた警官に、武内は現行犯逮捕された。

その後の調べにより、彼が晶水の母親——石川水那子を、事故の八箇月前からストーキングしていたことが判明した。

彼は約二年前に失職し、実家に戻ってきていた。

彼と水那子が再会したのは、近所のコンビニでだったという。彼女は大学生時代、家庭教師のアルバイトをしていた。そして当時小学生だった武内も、その生徒のひとりであった。

「理想の女性でした。ぼくのおかあさんになって欲しかった」

そう、淡々と武内は供述した。

事故多発地帯近くのゴミ屋敷は、じつは武内の実家だった。現場から交通安全看板をひっぺがしてしまった家主とは、彼の実母なのである。

一般に、犯罪を犯すまでにはいくつかのストレス要因が重なるものだという。

武内の場合はまず失職があった。さらに実母の精神状態は悪化する一方だった。職も収入もなく、彼は途方に暮れていた。頼れる友人も親族もいなかった。

実母から失われつつある母性を、彼は水那子の中に見いだした。

水那子はストーキングされていることに気づいてはいた。が、行政はもちろん、友人の誰にも相談していなかった。ストーカー被害者としては最悪の選択だ。

だが晶水には理解できる。母はきっと、

「十も年下の男の子にストーカーされてるなんて、訴えたところできっと誰も信じない。第一、わたしの自意識過剰かも」

と自分を諌《いさ》めてしまったのだ。なんでも自分ひとりでかかえこんでしまう性質は、母娘ともそっくりであった。

手をこまねいている間に男の執着はいや増した。

そして、例の事故が起こった。

「軽くあてるだけのつもりでした。抵抗できなくして、さらおうと思ったんです。でも痛いことや、乱暴なことをする気はありませんでした」

と武内は語った。

だがいざ実行してみると、計画どおり冷静にはできなかった。電柱の陰になって見えなかった娘が、ひょいと姿をあらわしたことも彼を動揺させた。いつもなら週末の買い物に出るのは、水那子ひとりだけのはずだった。

あせりはブレーキのタイミングを遅らせた。

彼はまず水那子をはねた。驚いた晶水が駆け寄る。その動きに動転した彼は数メートルバックし、再度アクセルを踏みこんだ。

力の加減を完全に誤った、と悟ったのはすべてが終わってからだ。彼は水那子を轢き殺し、晶水の右膝をガードレールと車体の間にはさんでつぶした。

魔の道とまで呼ばれていたその道路は、暗くなってからは人も車もろくに通らない。彼は徒歩で戻ってくると「善意の通報者」のふりで警察を呼んだ。

犯行につかった車は、実母のもと愛車である。とうに抹消登録して廃車の手続きは終えていたが、例の悪癖ゆえスクラップ工場へ送られることはなかった。

広大な庭に放置された車を駆って武内は母娘をはね、またもとの場所へ戻してから、こつこつと解体した。彼の実母は「ものを捨てる、手ばなす」ことはかたくなに拒否したが、朽ちることにも壊れることにも無頓着だった。

現場には塗料やランプの破片が落ちていたはずだ。しかし抹消登録済みの車が、捜査対象リストに入ることはなかった。

武内は「不審者」として近隣の住民から何度か通報されていたという。だが轢き逃げ犯としてはまったくのノーマークだった。

事故後も、彼は数人の女性に軽いストーキングをはたらいた。しかし結局は、誰も彼のお眼鏡にかなうことはなかった。

武内の目は、ふたたび石川家に向いた。

扱いにくい父親を献身的に世話する晶水の姿は、亡き水那子の母性を彼に思い起こさせたのだ。

そして、照準は娘の晶水へと当てられた。

「──なんであの男、わたしの夢では子供になってたんでしょう」

のちに晶水は千代にそう尋ねた。

老女は湯呑に口をつけて、

「そりゃあ、お嬢さんが無意識にそいつの正体を嗅ぎとっていたからよ。見た目はいい大人でも、一皮剝けば甘ったれの駄々っ子がそこにいることを、勘のいいお嬢さんは感じとったんでしょうね。でも表層意識は『通報してくれた恩人なんだ。だから感謝しなくちゃ』と思う。そのねじれが悪夢になり、やまない毎晩の警告になったんじゃないかしら」

「つまりそれが、夢のSOSですか」

「そういうことやと、わたしは思いますけどねえ」

口の端で、千代は笑んだ。

あれから晶水は、なんとなく美舟と雛乃と、机をくっつけて弁当を食べるようになった。

美舟は以前とまったく変わらぬ態度で晶水を迎えた。

雛乃はといえば、それとは真逆に「石川さん、お友達になってください」とがちがちの態度で接してきた。

晶水が「ああ、うん。こちらこそ」と答えると顔を真っ赤にしていたが、まあそのうちふつうの友達らしくなるだろう、と晶水は思っている。

「アキ、あのおとうさんの世話、あんただけじゃ無理でしょ。せめて夕飯だけでもうち来なよ。親にかけあって、安くしたげるから」

との美舟の申し出も受けることにした。

美舟の実家は、和惣菜中心の定食屋を営んでいるのだ。夕飯だけでなく父の弁当の食材も融通してもらえるようになり、おかげで晶水の負担はぐっと減った。

父は、ほぼあいかわらずと言っていい。だが一連の騒ぎに思うところあったらしく、

「あ、ごめんおとうさん。明日のアイス買い忘れた」

などというとき、

「おとうさんが買ってくるから、アキは家にいなさい」

とみずからコンビニへ走るようになった。娘に夜道を歩かせまいという配慮である。父も父なりに変わろうと努力してるんだなあ、とそのとき晶水はがらにもなく、すこし感激して

しまったほどだ。

山江壱とも、つかず離れずの関係を保っている。

ただ、山江家に顔を出す回数は増えた。千代に料理を習うだの、はたまた父の愚痴《ぐち》を聞いてもらうだのと、理由はそのときによってさまざまだ。

千代になら不思議と、肩肘張らずなんでも話せた。彼女の笑顔と声があるだけで、心に居座っていた氷のかたまりがすこしずつ溶けていくようだった。

そうしてその日も晶水は、千代に『飛竜頭《ひりゅうず》』のレシピを教えてもらうべく、壱と連れだって下校していた。

「わたしはあちこち渡り歩いたせいで、料理も言葉も、微妙にあちこちのもんが混ざってるのよ。そんなんでよかったら、いつでも来なさいな」

とは、千代の弁である。ちなみに飛竜頭とは関西で言うところの、がんもどきのことらしい。

近道だという草むらを突っ切っていると、ふいに壱が、

「――おれさ、じつは中学んときから石川のこと知ってたんだ」

ぽつんと言った。

「だって試合、何度も見たもん。いまよりずっと髪、短かったよな」

にっと笑う彼に、晶水は一瞬虚を衝《つ》かれた。

壱の背後で、初夏の緑が陽を透かしてきらめいている。

「いい選手だなと思った。視野広くて、判断早くて、フィジカルもメンタルも申し分なくてさ。とにかく格好よかったよ、おれ、一発でファンになっちゃったもん」

数秒、沈黙が流れた。

「わたし、もうバスケしてないよ」

かすれた声で、晶水は言った。

「うん」

と壱が答える。

それで？　と、先をうながすように瞬きする。

「だから……バスケしてるわたしのファン、だったんでしょ？　だったらいまのわたしには、もう用ないんじゃないの」

「んー」

壱が頭を掻《か》いた。

「そういうとこ鈍いよな、石川は」

「は？」

「ま、そこもいいよな、すれてないって感じで。うん、おれはいいと思うな、すごく」

「……さっきからなにが言いたいのか、よくわかんないんだけど」

「え、わかんないの？」

「わかんないよ」

かたくなに晶水は首を振った。

いや正確に言えば、わかりたくないというか、わかってしまったら自分の中で扉がいろいろ開いてしまいそうで怖いというか。だがとにかくいまは、そこを突きつめたくなかった。

ひょい、と壱が顔を覗きこんでくる。

「だから、石川が好きだって話でしょー」

う。

晶水は詰まった。思わず一歩、後ずさる。

――なんなの、こいつ。

なんでこいつ、こんな簡単にあっさり、こともなげにこんなこと言っちゃうの。好きとかなんとかって、こんななんでもないときに言う場面？　なんかもっとシチュエーションとかムードとか、告白ってそういうのが必要なもんなんじゃないの。

しかし晶水の内心のパニックなどものともせず、さらに壱は言葉を継ぐ。

「好き、なんだけど」

うう。

「だめかなぁ」

あぁもう限界。無理。この状況は、わたしのキャパシティを完全に超えている。そう悟った瞬間、

「帰る!」

決然と晶水は叫んでいた。

「ごめん、今日は帰る! 夕飯の支度あるし、宿題あるし、予習しなくちゃだし、BSで観たい試合あるし、あの、えーと、とにかく帰る!」

言うが早いか、きびすをかえしてぱっと駆けだした。

数分走ったところで「しまった、飛竜頭」と気づく。

千代さんに習う約束だった。なのに、土壇場ですっぽかしてしまった。最悪だ。次に会うとき、手土産持っていって、めいっぱい謝らなくちゃいけない。

なぜか「もう行かない」という選択肢はなかった。頭の片隅にも思い浮かばなかった。

目の前の赤信号で、晶水は足を止めた。

喉がぜいぜい鳴る。口の中が乾いていがらっぽい。

「あ」

晶水は口をあけた。

――いまわたし、走ってた。

もちろん、以前からすれば見る影もない速度だ。右膝はもちろん痛みに疼いている。でも、走れた。膝のことなんか忘れて、こんな長い距離を無心で走った。

信号が青になり、童謡のメロディが流れたのち、また赤になっても、晶水はその場を動けなかった。

風がすいと流れる。

ゆっくりと晶水は両掌で顔を覆った。

公園に咲く梔子《くちなし》が、一瞬、強く香って夕空に消えた。

第二話　みどりの黒髪

1

目の前に和箪笥《わだんす》があった。

手入れはよくないらしく全体に煤《すす》ぼけて、取っ手や飾り金具はびっしり緑青《ろくしょう》を吹いている。

彼は箪笥を前に、畳に正座していた。この箪笥があるということは、ここは母方の祖母の家であるはずだ。でも、天井が違う。飾り欄間の彫刻が違う。

頭上に張りめぐらされた太い梁《はり》。欄間の龍。これらは父方本家にあるはずのものだ。彼は腰を浮かせ、あたりを見まわした。

古い和箪笥も梁も、睨《ね》めつける龍も、幼い彼にはどれも等しく〝怖いもの〟であった。彼は臆病な子供だった。雷におびえ、夜の嵐に泣きだすたび、父に「根性なしが」と怒鳴りつけられたものだ。

そのときはじめて、彼は自分が子供に還っていることに気づいた。

歩幅がちいさい。目線が低い。神棚があんな高いところにある。蛍光灯の紐《ひも》に手が届かない。

まわりには誰もいなかった。ひどく静かだ。

ここがもし本家ならば、いつも誰かしら人がいるはずだった。伯父伯母。祖母。父がよく「ねえやさん」と呼んでいた女性。出入りの業者さん。でもいまは猫の子一匹見あたらない。

彼はふたたび畳に尻を落とした。手になにか触れる。つまみあげてみて、目を見ひらく。ひどく長い黒髪だった。気づけば、あちこちに落ちているようだ。畳の目にさからうように、いくすじものたうっている。

誰の髪の毛だろう、と彼はいぶかった。家族にこんな長い髪の者はいない。母も伯母もうなじの上で切りそろえているし、祖母は髷《まげ》に結いあげてはいるものの総白髪である。

この長さなら、大人でも腰のあたりまであるはずだ。だが、そんな親類や知人に心あたりはなかった。

いやだな、と思った。なぜかわからないが、いやな感じだ。彼は立ちあがり、逃げるように部屋を出た。

勾配のきつい、せまい階段を慎重におりる。

階下にもやはり人の気配はなかった。が、間取りはどうやら本家そのままのようだ。

彼は台所に向かった。そこにはたいてい「ねえやさん」がいるはずだったからだ。がみがみ屋の伯母や祖母と違って、彼女はいつも少年にやさしかった。

だがやはり、厨房《ちゅうぼう》も無人であった。

彼は暖簾《のれん》をくぐり、コンロの前に立った。鍋に味噌汁が煮えている。途端に、空腹を感じた。

――すこしくらいなら、いいだろう。

本家でのつまみ食いは禁じられていた。それだけに、一度やってみたかった。

彼は玉杓子《たまじゃくし》を手にとり、味噌汁をすくった。椀《わん》は持たず、玉杓子に直接口をつけて啜ろうとした。自宅では「行儀わるい」と叱られながらも、しょっちゅうやっていたことだ。

だが、彼がすくいあげたのは汁ではなかった。

長い黒髪が、ぞろりと鍋から持ちあがっていた。彼は悲鳴をあげた。ほうりだされた玉杓子が床に落ち、乾いた音をたてた。

彼は台所を出て、縁側に走った。濡れ縁には誰かの飲みさしらしい湯呑と、手つかずの饅《まん》頭《じゅう》が置きっぱなしになっていた。彼は手を伸ばし、饅頭をふたつに割った。

と、餡が糸をひいた。一瞬「腐っている」と彼は思った。

しかし違った。それは粘液ではなく、髪だった。長い黒髪が、饅頭の中でとぐろを巻いていたのだ。

彼は絶叫した。

少年は走った。家族を探して、屋敷じゅうを走りまわった。まず客間に駆けこみ、そこにも人がいないのを知ると、廊下に駆け出た。

寝間、納戸、仏間をまわり、奥座敷に入った。しかし座卓につく者は誰もなく、空気は冷え冷えとしていた。

彼はよろめきながら、ふたたび廊下へ出た。思わずその場にしゃがみこむ。

磨きあげられた床に己の顔が映っていた。子供の自分だ。青白い顔をして、手も足も折れそうに細い。その背後に、煙が立ちのぼっているのが見えた。

はっと顔をあげ、振りかえる。

視界が一変していた。

見慣れない内装だ。さっきまでいたはずの、本家の古屋ではなかった。母方祖母の家でもない。和箪笥も欄間も、磨かれた床も、瞬時に消え失せてしまっていた。

途方に暮れ、彼はあたりを見まわした。ここにもやはり、誰もいない。世界にひとりきり、とり残されてしまったかのようだ。

和室だった。本家のように重厚で贅《ぜい》をこらしたつくりではないが、それなりに古いようだ。畳がけばだっている。窓は曇り、何箇月も拭《ふ》かれていないだろうことが一目でわかる。

目線をあげた。

途端、彼は凍りついた。

天井の隅に、長い髪の女がへばりついていた。暗い双眸がまっすぐに彼を見おろしている。

顔はたれさがった髪に隠れ、目鼻も表情も見えない。だが、視線を感じた。

そこには怒りがあった。女は彼に対し、激しい怒りと憎悪を燃やしていた。悪意が、皮膚の上でひりついた。

彼は後ずさった。

女は動かない。微動だにしない。

彼は口をあけた。だが悲鳴は出なかった。喉の奥で声が詰まっている。固くちぢこまり、ひからびて、胸もとで壊死《えし》してしまっている。

いやだ。彼は両手で頭を押さえた。いやだ、ここはいやだ。いやだいやだいやだ。そう声にならぬ声をあげた瞬間。

――目が覚めた。

啞然《あぜん》と首をもたげる。あたりを確認する。

彼はアパートの自室にいた。

まだ時刻は夜中らしく、部屋は薄闇に包まれている。だが間違いなく、住み慣れた我が家だ。就職してからずっと住みつづけている、築十二年のせまくるしい1DKであった。

「……ゆめ、か」

呆《ほう》けた声が出た。

そう、夢だったらしい。それにしてもひどい夢だ。耳のそばで鼓動がどくどく鳴っている。まぶたがこまかく痙攣《けいれん》している。

彼は長いため息をつき、なかば無意識に額を撫でた。

2

「なあ、おれのどこがだめなんだと思う？」

山江壱の台詞に、クラスメイトの蜂谷《はちや》崇史《たかし》は、

「なにがだよ」

といかにもうっとうしげに答えた。

頃は昼休み、場所は一年A組の教室である。あたりには弁当の唐揚げ、購買のやきそばパン、はたまたコンビニのホットスナックに、カップラーメン等々の濃厚な匂いが漂っている。

とうに早弁を済ませて机に突っ伏す壱を横目に、崇史は椅子にあぐらをかいてローソンのツナサンドをかじっていた。

顔を伏せたまま、もそもそと壱が言う。

「なんで石川は、おれのこと好きになんないのかなあ。こんなに毎日毎日好きだー好きだーって言ってんのにさ。伝えかたが下手なんかな。もっと違う角度からいくとか、その手の工夫しなきゃだめ？」

　崇史はため息をついた。

「おまえ、本気でわかんねぇのか」

「わかんね」

「じゃあヒントをやろう」

うん！　と勢いよく壱が顔をあげる。

崇史は食べ終えたツナサンドの包みをまるめて結び、ごみ箱にほうり投げた。見事にはずれたのを見て舌打ちし、壱にぐっと顔を近づける。

「いいか。その昔、女が男を選ぶときに『三高』とかいう条件をつけた、非常にアタマのわるい時代があったそうだ。いわく高学歴、高収入、そして高身長だと。イチ、これを聞いておまえ、なにか思うことはないか」

　壱は首を振った。

「ねーなあ」

「よしわかった。じゃあもっと親切なヒントをやろう」

親指で崇史は背後を指さした。

「あそこに身長一八二センチでおまけに顔面はジャニーズ系という、おれにしてみたら一秒でも早く死んでほしいような笹岡という男がいる」

次いで指を真横に向けた。

「さらにおまえの正面にはいま、ツラはたいしたことないが下は年齢一桁、上は五十代までいけると評判の等々力《とどろき》拓実《たくみ》が座っている。ちなみに身長は一八四センチだそうだ。さてここで問題です。おまえがもし女だったら、笹岡とタクとおまえのうち、いったい誰を選びますか」

壱は即答した。

「おれ」

「よく言った。うちに来て親父をファックしていいぞ」

びっと彼に親指を立ててやってから、

「……どう思うよ、おい」

と崇史は真横の男に向きなおった。

「いいんじゃない？　自分に自信があるのはいいことだよ。たとえそこに根拠があろうとなかろうと」

拓実がたれ気味の目じりをさらにさげ、笑って答える。

不満げに壱が鼻を鳴らした。

「なんかおまえら、さっきからひどくねぇ？」

言葉の端ばしに友情どころか悪意を感じる、とぶつくさ言う壱に、拓実が笑顔を崩さず手を振った。

「ひどくないよ。それを言うならおれだって、たった今タカシに〝たいしたことないツラ〟って言われたじゃん」

「そこだけ聞くなよ。ちゃんともてるって言ってやったろ」

と崇史はいなして、

「でもやっぱ、石川は難関だろぉ」

紙パックに挿したストローで、残りすくないコーヒーをずずっと啜った。

「おっかねえけど、美人なことは美人だもんな。おまけに手も足もすらっと長いモデル体型で、イチより十二センチも背が高い」

拓実がうなずいた。

「うん、石川は昔からもててたよ。と言っても大半が女子だったけど。バレンタインなんかさ、朝来たら抽斗やロッカーの中どころか、どこにも入りきらなくてはみ出したチョコレートがこぉんな」

　と大げさな手つきで、机に透明の山をつくってみせた。

　崇史がストローから口を離して、

「そういやおまえ、石川と涌井と同中《おなチュー》だったっけ」

「うん、新鞍《にいくら》中学ね」

「知らなかった」

　拓実の言葉に、壱が目を見ひらく。

「いいなぁタク。石川の中学時代のエピソードとか、なんか知ってたら教えて」

　食いさがる壱に、拓実が苦笑した。

「えーっと、だからさっきも言ったけど、女子にもてまくってたよ。とくに下級生女子。鞍中のタカラヅカ現象とまで言われたもん。最近また性格まるくなってきたせいで、ファンが復活しつつあるようだけど」

「男には人気なかったの？」

「ないこともなかったけど、男子とどうこうって話はほぼ皆無だったな。ほら、石川っていわゆる『男にもてる女子』ってタイプじゃないじゃん。せめてもうちょい話しかけやすかったり、気さくだったりすると違うんだろうけど」

「隙がなさすぎるよな」

との崇史の言葉に、

「そーかぁ？」

壱が素っ頓狂な声をあげる。

「おれから見たら石川って、それはそれはもう隙だらけだぜ？　毎日見てて、心配になるくらい」

「それはおまえの目がおかしいんだ」

あきれ顔になる崇史の頭上で、昼休みの終了を告げるチャイムが鳴り響く。

くっつけていた机を、がたがたと音をたてて皆がもとへ戻しはじめる。前の引き戸をあけて入ってきた教師が、

「はいはいおまえら、早く席つけ。菓子の屑、床に落とすなよ」

のんびりと言って、教科書をひらくよう手ぶりで生徒たちをうながした。


包丁を握った千代の手が、よどみなく動く。

コンロでは鍋がふつふつと湯を煮立たせていた。銀いろのこまかな泡が底から浮きあがり、湯面をかすかに波だたせている。

「わたしらだけなら出汁《だし》でさっと炊いたんでもええけど、家族に男がいるとそうもいきません。やっぱりもっと味も濃く、こってりでないとねえ」

「わかります」

千代の言葉に、力強く晶水はうなずいた。

四十代になっても、父の乙彦はいまだにこってり好みだ。なかなか嗜好《しこう》を変えられない性質のせいもあってか、まだまだ魚よりは肉を、煮物よりは焼いたもの、揚げたものの方を好む。

ただでさえ偏食になりがちな彼のため、できれば夕飯は野菜中心で淡白な献立にしたいところである。だが、なかなか喜んで箸《はし》をつけてもらえなかった。

かく言う千代も亭主の高脂血症と高血圧に長年悩まされ、かなり献立に苦労したという。

「うちの義伯母がよくやってた手はね、〝高い食材を使ったと嘘をつく〟の。義伯母いわく『男はんは意外と実より名に弱いもんで、〝これ、国産松茸《まつたけ》〟なんて言うと、ふだんは茸《きのこ》なんか見向きもしない人でも、うまいうまい言うて何杯もたいらげたりします』なんて。賢いのかもしらんけど、まあ、あんまり上品な手と違うわね」

千代はころころ笑い、

「どっちにしろアキちゃんは、その程度の男と付きおうたらだめよ」

と、やんわり結んだ。

近ごろ千代は晶水を「お嬢さん」ではなく「アキちゃん」と呼ぶようになった。

「それはそれとして、今日は鰺《あじ》をようさんもらったから、南蛮漬けにしましょう」

と包丁を手にする。

まず小ぶりの鰺からぜいごとえらをとり、きれいに腸抜きした。水気を拭いて塩をふったのち、薄く小麦粉をまぶしていく。

「こんな豆鰺でも、いったん揚げてしっかり味をつけると、お膳での減りようがぜんぜん違うのよ。うちのイチなんてお茄子《なす》ひとつとっても、ただ炊いたんと、さっと素揚げしたのとでは箸のすすみがぜんぜん違うの」

「ほんと、わかります」

晶水は深く深くうなずいた。

若者とは、油と肉を必要とする生き物なのだ。たとえ油がなくとも肉、肉がなくとも油を求めるよう若い男の体はできているのだ。

ただその習慣のまま中年以降も過ごされては家族が困る。健康診断の結果に、そのもろもろが如実にあらわれる。

自然とあっさり好みになっていく「できた男」も世の中には多いというが、あいにく晶水の父にそれは望めない。がっちり習慣ができてしまっている朝昼はしかたないとしても、なんとか夕食で調整できないものかと晶水は悩んだ。

そうして先人の知恵に——山江千代におすがりしているというのが現状だ。近頃は最低でも、週に二日は料理を習いに訪れている。

「おー、鯵南蛮だ」

揚げものの音と匂いにつられてか、壱が台所に入ってきた。

「素麺《そうめん》と岩海苔《いわのり》の味噌汁に、榨菜《ザーサイ》のっけた冷奴《ひややっこ》かぁ。おれの好物ばっかじゃん。なんで？今日なんかあんの？」

ちょろちょろと動きまわる壱を、

「山江、火つかってんだから危ない」

急いで晶水が叱りつける。しかし実祖母である千代は「冷奴の薬味は葱がいちばんなんやけど、この季節はお高くてねえ」と、恬淡《てんたん》としたものだ。

ふいに電話が鳴った。

いまどき珍しい黒電話の、急きたてるようなけたたましい音である。

「おれ出る」

さっと壱が走り出た。だが廊下の向こうでふたことみこと応答する気配ののち、「ばあちゃーん」と困ったような声があがる。

「ごめんなさいアキちゃん、ちょっとここ代わって」

「あ、はい」

菜箸を渡され、慌てて代わりに晶水が揚げ鍋の前に立つ。じゅわじゅわと音をたてる豆鯵を相手にすること数分。しかし千代はなかなか戻ってこなかった。

代わりに台所に入ってきたのは壱だ。戸棚から油切りのトレイを出して、晶水の横に置くと、

「なんか、ちょいめんどくさい相手っぽい」

と小声でささやく。

「めんどくさいって?」

「たぶん、うちの——ていうか、ばあちゃんのお客。断りにくそうな感じの応対してるし、たぶん受けちゃうだろうな」

壱は肩をすくめた。

豆鯵をすっかり揚げ終えた頃、ようやく千代は戻ってきた。鬢のほつれ毛を指で掻きあげ、

「お客さんよ。いまから来るって」と言う。

「いまからですか」

晶水は声をあげた。

まだ陽は落ちきらないが、時刻はまさに夕餉《ゆうげ》の支度どき、主婦がもっとも忙しい時間帯だ。子供の頃、母に「夕飯前によそにお邪魔するのは、いちばん行儀のわるいこと」と重々教えられた晶水にとっては、およそ考えられない行為である。

「ねえ、困っちゃうわね」

千代は苦笑した。ひどくやわらかに眉をさげて、

「困っちゃうけど……まあ、しゃあないわねえ」

と重ねて彼女は言った。

3

小野瀬と名乗るその男を見たとき、晶水は「バセンジー」という犬種をまっさきに思い浮かべた。

眉間にこれでもかと皺が寄った、つねに困り顔の狩猟用犬である。まさにそのバセンジーそっくりに、小野瀬は顔の上半分を弱りきったように歪めていた。

歳の頃は二十代なかばだろうか。初夏だというのに、かっちりしたシャツに折り目のつい

たチノパンツといういでたちだ。

　彼はすすめられた座布団にまず正座し、思いなおしたように膝をくずしてから、また正座した。落ち着かないのか、膝を小刻みに揺すっている。

「お楽にどうぞ」

　との千代の言葉に彼は「いや」と手を振りかけたが、「では、お言葉に甘えて」ともごもご言い、今度はあぐらをかいた。だがやはり、膝の貧乏揺すりが止まる気配はなかった。

「――それで、もう一週間も眠れていないとお聞きしましたが、お医者さんには行かれましたの？」

　小首をかしげて千代が訊く。

　彼女が「以前お世話になった人のお孫さんで、ちょっと無下にできない相手」だと評した小野瀬はかるく顎《あご》をひいて、

「眠剤はもらえましたが、それだけです。悪夢はどうしようもありません」

　とくぐもった声で答えた。

　そんなふたりの横で、黙々と晶水は茶の支度をすすめていた。

　ほんとうなら小野瀬の来訪までに帰るつもりだったのだ。ついお茶出し係となってしまったのはいきがかり上というか、場のなりゆきというやつだ。

まあ一時間ほどで済むなら、父の帰宅までには間に合うだろう。念のためメールはしておいたし、美舟にも「今日、もしうちの父が食堂に行ったらお願い」と連絡は済ませてある。

煎茶《せんちゃ》を淹れ、銘々皿に饅頭をのせて黒文字を添えるとそれなりの体裁はついた。

出された饅頭を見て、なぜか小野瀬は一瞬いやな顔をした。が、口に出してはなにも言わず、ただ湯呑に手を伸ばす。

熱い煎茶で舌を湿らせて、彼は口をひらいた。

「あのう、本題に入ってよろしいでしょうか」

「ええ、もちろん」

千代が微笑む。

小野瀬はやや前傾姿勢になって、

「夢の内容は、たいていいつも同じようなものです」

と言った。

「……ぼくは、必ず子供に戻っています。だいたい六、七歳くらいじゃないかな。小学一年生か、その前後くらいでしょう。場所はそのときによって違いますが、ぼくが当時すこしでも〝怖い〟と思ったものが、たいがいまわりに揃っているんです」

「怖いもの？」

「ええと、たとえば母方祖母の家にあった和箪笥とかですね。古くて全体に黒ずんだ箪笥で、子供の頃ぼくは、『表面に毒が塗ってありそうだ。さわったら皮膚から体に毒素がまわって死ぬんじゃないだろうか』とよく妄想していました。そのたぐいの〝怖い〟です」

「ああ、子供は古道具を気味悪がりますものね」

「はい。あとは欄間に彫られた龍や、天井の梁なんかもよく出てきます。ゆうべみた夢には、本家の奥座敷にあった雉《きじ》と鷹《たか》の剝製《はくせい》が出てきました。昔の家によくあったタイプの、こう、羽を大きく広げた」

と彼は身ぶりで示してみせた。

小野瀬はまっすぐに千代だけを見て話した。彼女の背後にひかえた壱や、晶水のことなど目に入っていないかのようだ。いや実際、眼中にないのかもしれない。

彼は真剣そのものだった。頰が高潮し、うっすら額に汗をかいている。説明する口調に、熱がこもっている。

「それで？」

「え？」

「それで肝心な大すじは、どうなりますのん」

千代がうながす。

わずかに小野瀬がひるむのがわかった。

「こまかいところはあとでお聞きします。さきに大すじと、あなたがいちばん覚えているものはなにか、どんなときに目が覚めるかをまず教えてもらえません？」

しばし、小野瀬は黙った。

それを見てようやく晶水にも、彼がやけに細部ばかりを熱っぽく語っていたわけがわかった。

相談したくないわけではない。が、それを語ることこそが彼は〝怖い〟のだ。だから迂遠《うえん》に、まわりのディテールから話に入っていったのである。

「……なんていうか、あんまり気分のいい話じゃないんですが」

彼はうつむいた。

「まずさっきも言ったように、ぼくは子供になって、ひとりきりで家にいます。当時怖かったものに囲まれながら、誰かいないかと人影を探してさまよっているんです。そして、途中からの展開は、いつもほぼ同じです――」

くしゃっと顔が歪んだ。

「髪の毛、なんです。真っ黒くて長い髪がぞろぞろ、ぞろぞろと、あちこちから這い出てくるんだ。鍋いっぱいに髪が煮えていたこともあります。饅頭を食べようと割ったら、断面からたれさがってきたこともあります」

ああそれでか、と晶水は内心うなずいた。さっき菓子皿を見ていやな顔をしたのは、そういうわけだったか。

小野瀬は前髪を掻きあげて、

「蛇口をひねると、髪の毛がどろっと出てきたこともあります。喉もとが苦しくなって身をかがめたら、猫の毛玉みたいに、口から大きな黒髪の塊が吐きだされてきたこともあります。そうして決まって最後は長い髪の女に睨みつけられて、叫びだしたくなって目を覚ますんです」

「その女に、心あたりはありますか」

「いえ、さっぱり」

彼は首を振った。

千代が頬に手をあてる。

「その、〝必ず子供に戻る〟というのがどうも気になりますわねえ。夢をみるすこし前に、もしかしてなにかありませんでした？」

「なにか、とは」

「たとえば子供の頃にあった出来事を、思いださせられるようななにか。そんなことがここ最近、ありませんでしたかしら」

小野瀬はすこし考えこんだ。

「そういえばちょっと前、伯父の葬式で十年ぶりに本家へ行きました」

「あら」

「でも思いあたるようなことはとくにありませんよ。葬儀はなにごともなく終わりましたし、親戚と昔話をした覚えもない。ぼくはただ親の後ろに立って、『このたびはご愁傷《しゅうしょう》さまです』と型どおりに挨拶し、香典を置いてきただけです。さすがに両親とは実家に戻ってから話しましたが、それはめずらしいことじゃないし」

彼は顔をしかめた。

「第一ぼくは、あんな女は知りません。そりゃ、ロングヘアの女性は周囲にたくさんいますよ。でもたいていは長くても、胸下くらいじゃないですか。髪が腰のあたりまである女なんて、そうそう見かけない。会ったらきっと覚えているはずです」

「でも誇張ということも考えられますから」

千代はおっとり言った。

「誇張？」

「そう。いわゆるデフォルメですわね。小野瀬さんの中で、その人物をわかりやすく具現化できるような——つまり象徴的なものがありましたら、夢の中でそこだけが誇張されてしまうことがありますの。その女の場合は『黒髪』でしょう。だから実際よりだいぶ大げさな長さで夢にみたとしても、とくにおかしくはないんです」

傍《はた》で聞いていた晶水は、つい「なるほど」とうなずいてしまった。

だが肝心の小野瀬は、

「はあ」

と、わかったようなわからないような、という顔をしただけであった。

「失礼ですけれど、子供の頃はどんなお子さんでした？」

千代が話をすこし変える。

小野瀬はかるく目を見ひらいて、

「どんなって、いや、べつにふつうの子供でしたよ。トラウマになるような大事件に巻きこまれた経験があるわけじゃなし、変わったところはなにもなかったと思います。ただちょっとばかり、人より気弱で臆病でしたかね」

「怖がりでしたか」

「人よりは、ね。でも大きな犬が怖いとか、高いところから飛び降りろと餓鬼《がき》大将に言われたけどできなかったとか、そんなもんですよ。子供としちゃ、正常の範囲内のはずです」

「あら」

千代は目を見張って、

「ご心配なく。悪夢というのは、べつに異常のあらわれじゃありません」

とにっこりした。

「むしろ逆です。頭の中を整理し、心を平常に保つための自浄作用のようなもんです。そりゃたまに処理しきれなくて、今回のようになることもありますけど、たいていにおいて夢とは〝いいもん〟ですよ」

だからけっして過敏になることはありません――と、彼女は静かにしめくくった。

「ではそろそろ、はじめましょうか」

首を曲げて、孫息子を振りかえる。

「イチ、向こうの寝間にお布団敷いてちょうだい。いっしょに、小野瀬さんの夢をみてみましょう」

敷布団に並んで横たわる千代と小野瀬を、晶水は好奇心半分、不安半分で見おろしていた。

寝そべって一分と経っていないのに、ふたりはすでに深い眠りに入ったらしい。眼球がまぶたの下でぴくぴく動くほかは、微動だにしない。

白い開襟《かいきん》シャツにチノパンツの小野瀬と、綿絽《めんろ》の浴衣を着た千代が並んで寝入っているさまは、なんとも奇妙でちぐはぐな光景だった。

枕もとには壱がひかえている。猫の子のようにしゃがみこみ、じっとふたりの寝顔を凝視している。

「いつも、こんななの？」

晶水はささやいた。

「たいていこんなだよ。前はじいちゃんがこの役やってたけど」

どこかうわのそらで壱が答える。

「じいちゃ……おじいさんって、まだしばらく入院中なんだよね」

「そう。でも退院しても、じいちゃんはもうやんないと思う。本人はつづけたがってたけど、ばあちゃんがやらせないってさ」

そういえば「気力も体力もいる仕事だから、無理させられない」と以前に千代が言っていた。

「それじゃ、山江がずっと――」

ずっとこれからもやっていくの、という問いは、「しっ」という壱の叱責で途切れた。慌てて晶水は口をつぐんだ。

唇に指をあてたまま、壱が千代と小野瀬を目顔で指す。

ふたりの眉間に皺が寄っていた。半びらきの口から、喘《あえ》ぎのような、唸りのような、かすかな声が洩れている。

「……うなされてる？」

小野瀬だけならまだしも、千代もだ。

壱がむずかしい顔になった。

時計を見ながら三十秒ほど見守ってみたが、寝顔は険しくなる一方だった。壱が顔をあげ、晶水を上目づかいで見やった。

「石川。ちょっと早いけど、おれもう入る」

その語調に、思わず晶水は息を飲んだ。

「だいじょうぶなの」

壱は答えず、無言で千代の手首に手をあてた。

まぶたがおりる。がくんと肩が落ちる。

「山江――」

声をかけたときには、もう意識がなかった。

寝入るというよりはまるで、瞬間的に気絶したかのようだ。

おそるおそる、横から顔を覗きこんでみる。壱の眉間にも、深い皺が刻まれはじめている。口もとが歪み、きしっと音がした。奥歯の軋む音だ。歯を食いしばっているらしい。

晶水は手を伸ばし、彼の手に触れた。

途端、びりりと電気のようなものが走った。

反射的に閉じたまぶたの裏に、なにかの光景が閃いた。壱の手を離そうか、一瞬迷った。が、意を決して逆にぎゅっと握りしめた。

壱の手首を摑み、きつく目を閉じる。

意識が下に、すうっと吸いこまれるように落ちていくのがわかった。

だが、この前とは違った。彼女の意識は、底まで沈んでいきはしなかった。晶水は上方で踏みとどまり、ガラスの床を透かすようにはるか下の景色を眺めていた。

晶水は最初、それを泥だと思った。

生きて、蠢動《しゅんどう》する泥。意思をもってうねり、巻きつき、たゆたう汚泥。ヘドロのかたまり。

——いや、違う。

あれは髪だ。

漆黒の毛すじが、長ながとからみあい、もつれ、波うっているのだった。

晶水は目をこらした。あの黒波の中に、壱や千代が搦《から》めとられているのではと思ったからだ。だが誰の姿も見えなかった。

視界にあるのは黒だ。黒一色。かすかな脂気をもった、ぬめるような黒である。奥になにかがきらめくのが見えた。晶水は眉根を寄せた。

鳥だ、と思った。花に囲まれた、首の長い鳥。鶴だろうか。ともかく美しい鳥だった。花は見たこともないような色を帯びていた。うす青いような、白金のような、角度によって光を変える玉虫いろの花だ。

なんだろう、といぶかった。きれいだ。もっと見たい。だが首を伸ばした瞬間、ぐいと意識が上にひき戻された。

晶水は目をしばたたいた。

一瞬ののち、そこはもう山江家の寝間であった。

敷布団から、小野瀬が唸りながら上体を起こしつつある。千代は裾をさばいて、すでに横ずわりになっていた。

かるく腕を叩かれ、はっとした。まだ壱の手首を握ったままだったらしい。慌てて手を離すと、やけに至近距離で壱がにっと笑った。

目をそらした。心なしか頬のあたりが熱いが、気のせいだと思いたい。

小野瀬が口をひらくのが見えた。

「あの……」

彼は青ざめていた。

「なにか、わかりましたか。いまので――」

千代に向けた問いだった。彼女は衿《えり》をすこしなおして、

「小野瀬さん、なにか、後悔してはりますのね」

と言った。

小野瀬の体が、目に見えてこわばった。

「わたしは探偵ではないし学もありませんよって、快刀乱麻ただちに解決、というわけにはいきませんの。気づいたことは、ご本人の口から言っていただかないと」

やさしい声だった。

だが彼は、みるみるうなだれていった。

しばしの沈黙ののち、低くつぶやく。

「あのう、じつを言うと、もしかしたらと思ってたんです。あの黒髪の女性は、その、もしかすると――」

いったん言葉を切り、声を押しだす。

「本家で雇われていた、『ねえやさん』なんじゃないかって」

「どうしてそう思いますの？」

「だって、その」

彼ははじめて、ちらりと千代の背後にいた晶水をまともに見やった。だがその視線はすぐに伏せられた。

「子供のぼくは、なんとなく知ってたからです。ねえやさんは、死んだ本家の伯父に、ええと、なんというか」

「お手つきやったんやね」

やんわりと千代が言った。小野瀬の顔面に血がのぼり、赤黒くなる。

なるほど、彼がさっきからずっと晶水の存在を無視していたのは、そういう理由もあったらしい。現役女子高生の前でする話ではない、と気をつかってくれたようだ。

早口で彼は言った。

「気位ばかり高い伯母に代わって、ずっと本家のきりもりをしてくれていたのはねえやさんなんです。でも伯父の葬儀に行ってみたら、もうとっくに彼女はいなかった。いつ追いだされたのか気になったけど、伯母の手前、誰にも訊けませんでした」

胸の前で手を揉《も》みあわせている。

「ねえやさんは、いつも髪を首の後ろでひとつにくくっていました。腰まではいかなかったけれど、確か肩甲骨のあたりまであったはずです。髪が長い女性で、かつ伯父の葬儀をきっかけにして、ぼくが後悔している事柄となると——ねえやさんのことしか思いつきません」

身内の恥をさらすようで、なかなか言えませんでしたが、と彼は声を落とした。

すこしの間、千代は彼の顔を眺めていた。

「……それだけ？」

「え？」

小野瀬が顔をあげる。

千代は微笑んで、

「いいえね。いまそれしか思いつかへんのなら、それはそれでいいんですよ。でもまだ夢はつづいて、終わらないかもしれない。もしそうだったら、またいつでも気軽においでくださいな」

と告げた。

釈然としない顔の小野瀬を見送って、

「また来るかな」

と壱は祖母を振りかえった。

「来るでしょうねえ」

千代が答える。

「怖くてすぐに目が覚めるから、小野瀬さんにはろくに見えてへんのでしょうね。でもあの夢にいた黒髪の主は女やない。れっきとした男でしたよ」

長い黒髪というだけで、女だと先入観を固めてしまったのね――と、老女は可憐《かれん》なため息をついた。

「だったら、教えてあげた方がいいんじゃないですか」

晶水の言葉に、

「なるべく自分で思いだした方がいいのよ」

千代は首を振った。

「どうしてものときは教えるけれど、できることなら自分の力で、が基本ね。さっきも言ったように夢というのは自浄作用だから、あまり外からお節介したらいけないの。手助けは最低限でないと。それにアキちゃんだって、ちゃんと自分でほとんど思いだせたでしょう。ねえ、イチ」

「だなあ」

そう言うと、祖母と孫息子は顔を並べて微笑した。

4

「石川、三百円貸して！」

廊下側の窓枠から投げかけられた声に、

「は？　なんでよ」

と思わず晶水は顔をあげた。

「おれ早弁しちゃったから、昼に食うもんなくてさ。購買でパン買おうと思ったけど金もなかったんだ。だから三百円貸して」

と掌をさしだしてくる壱に、ぷいとそっぽを向く。

「やだ」

「えー。なんでだよ、冷てえっ」

と騒ぐ壱を横目に、ほんとこないだとは別人みたいだな、と晶水は思った。

家業を手伝ってるときとスポーツしてるときは格好よくなるのに、ふだんはまるきり小学生みたいだ――とそこまで考えて、「いやいやべつに、格好いいなんて思ったことないから」と脳内で打ち消す。

確かにギャップはあるかもしれない。だけどそれイコール格好いいじゃないし、と自分に言い聞かせつつ、弁当の包みをほどく。

昼休みははじまったばかりで、晶水はここ最近の習慣どおり、美舟と雛乃との三人で机をくっつけていた。晶水と美舟は手製の弁当、雛乃はコンビニの菓子パンとヨーグルトという、ごくありふれた昼食である。

「だいたいあんた『貸して』って、かえすあてあんの」

「助っ人のバイト代入ったらかえす」

「それいつの話よ」

「来月」

なにをう、といきりたった晶水に、

「まあまあ」

と美舟が割って入った。

「山江、手ぇ出して。お金は貸せないけど、たまご焼きひとつあげる」

食堂『わく井』の名物でもある、黄金いろの出汁巻《だしま》きたまごを箸でつまんで差しだす。

「サンキュ。涌井、やさしいなぁ」

でれっとやにさがって、壱は掌に出汁巻きを受けとった。

「あ、すげーうまい。さすが老舗食堂の味」

「でしょ？　今後ともごひいきに」

晶水は思わずむっとなった。面白くない。目の前でそんなやりとりをされたら、いかにも自分がやさしくないみたいではないか。

しかたなく弁当の蓋《ふた》に、ちょいちょいとおかずをとりわけてやった。と言っても夕飯の残りと父の弁当の余りという冴《さ》えないラインナップで、われながらあまり見栄えがしない。

だが「石川さんが分けるなら、わたしも」と無理やり菓子パンをちぎろうとする雛乃を止めている隙に、壱はひょいひょいと教室の奥に歩き去ってしまっていた。

「なに？　イチ、昼飯ないの」

「あったけど食っちゃった」

「しょうがねーな、おれらのもなんかやるよ」

運動部の男子を中心に、そんな声が聞こえてくる。各生徒から唐揚げひとつ、ウインナー一本、コロッケ半分、とめぐんでもらっている光景に、つい〝人気者〟と言うより〝餌付け〟の三文字が自然と浮かんでしまう。

「子犬の飼育だね、まるで」

と苦笑する美舟に、「小猿の間違いでしょ」とむっつり晶水は答えた。とりわけてやったはいいが、見向きもされなかった弁当の蓋の惣菜がもの悲しい。

しかもバレー部女子で机を寄せあったグループからは、

「山江くん、おむすび食べる？」

「じゃあたし、ポッキーあげる」

と、きゃいきゃい黄いろい声まであがっている。

「え、いいの？」

「いいのいいの、どうせうちらダイエット中だから」

「うわ、C組ってみんなやさしいー。なにここ天国？」

壱の台詞に、どっと笑い声が湧く。

だがその背後で、派手めの男女グループが顔を寄せ合うようにひそひそ笑っていた。

「なにあれ、みっともない」

「態《てい》のいい残飯処理じゃん。はしゃいじゃって、恥ずかしくないのかな」

「ないんでしょ。だってほら、なにしろあの子って親がいな……」

言いかけた言葉を、女子生徒がぎょっと飲みこんだ。

晶水の射抜くような視線にようやく気づいたらしい。彼女はそそくさと顔をそらし、妙に居住まいを正して横を向いた。

「アキ。あんたいま、すごい顔してた」

箸箱に箸をしまいながら、くつくつと美舟が笑う。

「また怖がられるよ。せっかくクラスに馴染んできたとこなのに」

「いいよべつに」

晶水は言った。

第一、べつに山江のために怒ったわけじゃない。喧嘩《けんか》する度胸もないくせに、売るだけ売って逃げるようなやつは気に入らない。それだけだ。

だいたい親なし子がどうこう言うんなら、こっちだって現在片親なんだ。だったら当然、わたしのことも怒らす覚悟があるってことだろう。それでいまさら『そんなつもりなかったんですぅ』なんて言いわけは通用しないし、させる気もない。

ひとしきり胸の内で毒づいて、晶水は烏龍茶《ウーロンちゃ》をぐびりと飲んだ。なぜか対面の席からうっとりと見つめてくる雛乃のことは、ひとまず無視しておくとする。

美舟が笑って手を振った。

「ま、うちみたいな半端な進学校って、ああいう高校デビューな人種が意外といるもんだから。まともに相手にしちゃだめだよ、アキ」

「わかってるって」

かるくいなして、箸を置く。

ふいに真横に影がさした。放置していた弁当の蓋が持ちあがった――と思いきや、次の瞬間には山江壱が口をもぐもぐさせて立っていた。

「ごちそうさん。石川、料理うまいな」

晶水がなにか言う間もなく、ふっと彼が上体を倒す。耳もとに口が寄せられる。

「今日、帰りにうち寄ってて」

一瞬、晶水は言葉に詰まった。

目をあげると、壱のやけに大きな瞳が鼻先にあった。「お願い」と彼が重ねて言う。

晶水は思わず口をへの字にした。

ついさっきの「三百円貸して」のおねだりはためらいなく断れた。なのにどうしてこの目で、この声で言われてしまうと断れないんだろう。

ふしょうぶしょう、晶水はこくんとうなずいた。壱が口の端で微笑み、「じゃあな」とC組の教室を出て行く。

「なに、いまの？」

との美舟の問いに、

「……さあね」

と彼女は渋い顔で答えた。

「アキちゃん、いらっしゃい」

今日の千代は、涼しげな白地に藍で水文を染めた浴衣姿であった。

「ごめんなさいね、呼びだしてしまって」

「いえ」

晶水はかぶりを振った。

例の小野瀬がこれから来るのだと、千代は手短かに説明した。つまり二度目の『ゆめみ』をやるということだ。そして晶水に、なにやら頼みがあるという。

「石川、こないだおれといっしょに〝入った〟だろ」

壱がずばりと言う。晶水はすこしひるんだ。そんなつもりはなかったとはいえ、結果的に覗きをはたらいたような罪悪感があったのだ。

しかし壱は「それはいいんだ」と手を振って、

「なにが見えた？」

と問うてきた。

「なにって――」

晶水はすこし言いよどみ、

「すごい量の、黒髪。真っ黒い海みたいだった。あと、ちらっとだけだけど、鳥と花が底の方に見えたみたい」

と答えた。

「へんな花だった。ひらべったくて、虹いろっていうか玉虫いろに光ってるの」

途端、壱が目を見ひらいた。予期せぬ反応に晶水はちょっと身をひいた。少年が顔を紅潮させて、

「石川、すごいな」

と嘆息する。

「すごいって、なにが」

「〝入れた〟のはたぶん、おれと何度かコンタクト済みだからだろうけど、はじめっからそこまで見えるのってすげえよ。マジで素質ある」

からかっているのかとも思ったが、どうやら本気で誉めているらしい。だが喜んでいいことなのかどうか、いまひとつ判断がつかなかった。

「それでね、アキちゃん」

千代が割って入る。

「今日はわたしのすぐあとにイチが入るから、アキちゃんにはイチを入口で待っててほしいの」

「ばあちゃんが心配性でさ。もしこないだより悪化してたら、おれまで出られなくなるんじゃないかーって」

頭の後ろで手を組んで、壱が笑う。

「ま、あくまで念のためだよ。たぶんなんも起こらないし、いつもどおりおれがみんなを〝引きあげ〟て終わりだから」

屈託ない笑顔だった。

「おれの片手摑んで、支えててくれるだけでいいんだ。だいじょうぶ、石川のことはぜったい危ない目に遭わせたりしない」

そう念押しされ、またも晶水はこっくりうなずいてしまった。

小野瀬はそれから二十分ほどしてあらわれた。

手順はほぼ前回と同じだ。まず千代が小野瀬にすこし話を聞き、寝間に移ってふたり並んで眠る。違うのは、壱と晶水がやや遅れていっしょに〝入った〟ことだ。

前回よりさらにすんなりと、晶水は夢に沈んだ。

足首から下が、海面に浸っているかのように冷たい。ただ水よりもとろりとして、触感はたまごの白身にすこし似ている。

この前と同じく、ガラスの床越しにはるか下方の世界を眺めている感覚があった。

その世界には、ちいさな男の子がいた。古い家を歩きまわっている。

彼の背後を、うっすらと灰白い影がついて歩いているのが見えた。おそらくあれが千代だ。

だが少年は千代の存在に気づいていないらしく、一度も振りかえることはなかった。

彼が小走りに隣の部屋へ駆けこむ。やはり誰もいない。

そこは仏間のようで、立派な仏壇が奥に鎮座していた。供花があざやかだ。家紋入りの吊り提灯《ぢょうちん》は火がともっているのか、かすかにぼうと明るい。

少年は仏壇には近づかぬようにしていた。どうやら遺影や位牌《いはい》が怖いらしい。

自身でも「臆病な子供」だったと小野瀬は認めていた。しかしあの年頃なら「死」を感じさせる仏具を怖がることは、とくに変わったことではないはずだった。

突然、かたかた、と御文箱が震えた。

見る間に揺れが大きくなる。音をたてて蓋がはずれる。だが震えはやまない。見えない手で揺さぶっているかのように、畳の上でがたがたと鳴りつづける。

ぞろり、と文箱から黒髪の束が這いだした。

少年が悲鳴をあげ、飛びすさる。思わず晶水も声をあげそうになった。

おそろしく長い髪だった。うねうねと蠢動し、のたうっている。蛇のごとく身をくねらせて、まっすぐに小野瀬少年に向かっていく。

髪はまず少年の足首をとらえた。きつく巻きつき、絞めあげる。それを足がかりに、彼の体を這いのぼっていく。

背後から千代が、彼を守るかのように抱きかかえるのが見えた。

しかし髪は千代ごと絡みつき、搦めとった。それ自体が意思を持つ、なにかの生きものであるかのような動きだった。

黒髪が波うつ。叫ぼうとひらいた少年の口に、鼻孔《びこう》に、耳孔に、ぞろぞろと這いこんでいく。千代が呻《うめ》くような声をあげた。

「ばあちゃん！」

左手を晶水にあずけた壱が身をのりだし、右手をいっぱいに伸ばした。

千代の手が差しのべられる。孫息子の腕を掴む。千代と、彼女がかかえた小野瀬少年の体が一気に上へひきあげられる。

だが次の瞬間、晶水は目を疑った。

小野瀬が身をよじり、千代の手を振りはらったのだ。

落ちていく。波立ち、ざわめく黒い海に、痩せた幼い体が飲みこまれていく。

考える間もなく、晶水は壁を蹴って飛びこんでいた。

卵白のように粘っこい溶液がまず全身を覆い、次いで不思議にぬめっとした感触に包まれる。髪の脂だ。この香りは、椿油だろうか。いやな香りではない。が、むせかえるほどきつい。

視界がきかない。黒だ。いちめんの黒。

手を伸ばして、探った。

指さきがなにかに触れる。無我夢中で摑んだ。小野瀬の腕だとわかった。もう片方の腕も伸ばして、幼い彼をかかえあげた。

伝わってくるものがある。髪。少年。触れたところから、なにかが雪崩《なだ》れこんでくる。

――ああ、そうか。

ようやくわかった。

後悔なんてものじゃない。この黒髪は、彼の罪悪感そのものだ。髪に襲われることによって、彼は自分を罰しているのだ。

晶水はもがき、黒い渦からなんとか逃れた。

だが壱と千代ははるか頭上だ。どうしていいかわからない。浮上するにも、そのやりかたを知らない。

――壁。

ふっと気づいた。

そうだ、ここへおりてくるとき、自分は確かに見えない壁を蹴った。ここは夢だ。観念の世界である。ならばここに壁があると思えば、あるのだ。

小学生の頃、晶水は壁や塀を越えるのが得意だった。垂直の壁をななめに駆けあがり、天辺に飛びついて乗り越えるのである。二メートル程度の壁なら難なく攻略できた。晶水の発達した脚力と、スピードがあってこその技だった。

晶水は自分の右膝を見おろした。胸中でうなずく。

だいじょうぶだ、走れる。だってこれは夢の世界だからだ。現実の膝は壊れていようと、心が折れていないなら走れるはずだ。ここには壁がある。わたしは走れる。昔やったようにもう一度、駆けあがることができる。

かるく膝に力を溜め、わずかに身を沈めて、跳ねた。

体が宙を泳ぐのがわかった。見えない壁を、大股に三歩、ななめに駆けあがる。手足がよく動く。気持ちいい。まるで、昔に戻ったみたいだ。

腕が見えた。

「石川！」

壱の手だ。

ためらいなく摑んだ。ひきあげられる。急激にぐっと浮上する。

まぶたをひらいた。

目の前に、壱の顔があった。その背後に見える景色は、もう山江家の寝間だった。彼は呆然としていた。晶水も彼と、思わず間近で目を見かわしてしまう。

ため息のように、

「石川……」

と壱がつぶやいた。

「石川、格好よかった……。す、すごかった」

覚えてる？　と問われ、無言でうなずいた。

もちろん覚えている。まだ脚にあの感覚が残っているくらいだ。手足のすみずみにまで血が通い、爪の先まで自分の思いどおりに動くと信じられる、あの絶対的な感覚。ひさしぶりに味わった。快感が、まだ脳を浸している。

そんなふたりの真横で、小野瀬が布団からゆっくりと身を起こした。

彼の唇は乾き、色を失っていた。

背後から千代が、その肩をそっとさする。

小野瀬は宙に視線を据えたまま、

「――思い、だしました……」

としわがれた声で言った。

5

奥座敷に戻った小野瀬は、湯呑を片手に声を落とした。

「あれは、女性じゃないんですね。男だ。ものすごく髪は長いけれど、男性でした」

「心あたり、ありますの？」

千代の問いに彼はうなずいた。

「おそらく、ぼくが子供の頃、本家の近所に住んでいた人です。――髪が腰まであって、あきらかに中年男性なのに、女ものの服を着て毎日ふらふらしていました。大人たちはみんな避けて通ってた。悪餓鬼たちは逆に、わざとはやしたてたり、追いかけまわしたりしてました。ぼくは怖くて、そんなことできませんでしたけど」

「それで、あなたは彼になにをしたんです」

思わず晶水は口をはさんだ。

あの黒い海のようにあふれる罪悪感。きっとなにかがあったに違いない。

彼は夢で晶水に助けられたことを覚えていたのだろう。傷ついたような目をちらとだけあげて、

「ぼくは――泥棒なんです」

と呻くように言った。

そして、訥々《とつとつ》と小野瀬は語りはじめた。

彼は当時、小学一年生だった。チビで痩せっぽちの彼は、悪童たちのいいからかいの的だった。

父はそんな彼に業を煮やし「鍛えてもらう」と言って、しょっちゅう本家の伯父にあずけた。

だが本家の近隣の方が、生家まわりよりずっとたちのよくない悪餓鬼が多かった。怖がりで泣き虫で、虫もろくに触れない小野瀬は、すぐさま彼らの〝つかい走り〟兼〝財布〟となった。

小遣いはもらったそばから巻きあげられた。彼らは遊びには誘ってくれないくせに、暇になると「あれをやれ、これをやれ」と犬に芸でもさせるように命令してきた。

そしてあの〝罰ゲーム〟もやはり、彼らが面白半分に命じたものであった。

ある日、少年は「遊ぼうぜ」と悪童たちになかば無理やり誘われた。

ゲームとは名ばかりだ。当然のごとく、負けるのは小野瀬だと最初から決まっていた。彼らは空き地に小野瀬をひきずりこみ、

「プロレスしようぜ」

「総あたり戦な」

「いちばん負けたやつは罰ゲーム」

と言って、代わる代わる彼に技をかけた。まったく手加減はなかった。骨も腱《けん》も無事でいられたのが不思議なくらいだ。頭から地面に投げ落とされたときは、小野瀬は冗談でもなんでもなく死を覚悟した。

「おまえがびりだな」

「罰ゲームは、きついやつにしなくちゃな」

ぼろ雑巾のようになった小野瀬に、彼らはにやにやと言葉を投げ落とした。なんでもしますから許してくださいと、小野瀬は泣いて懇願した。

そうして彼らが命じた罰ゲームが、

「二丁目のおばけ屋敷を探検して、証拠になにか盗んでくること」

であった。

言葉の選び方だけは子供らしいが、ありていに言えば不法侵入と窃盗だ。しかし悪餓鬼たちは、

「証拠を持ってこなきゃだめだぞ。おまえ、嘘ついて逃げるだろうからな」

とまるで容赦がなかった。さらに「もしなにも持ってこれなかったら、今度こそずたぼろのぐちゃぐちゃにしてやる」と言い、嘲笑った。

選択の余地はなかった。小野瀬は悪童たちにせっつかれるままに、二丁目のおばけ屋敷に向かった。そこは例の、腰まで髪がある男の自宅であった。

傍目《はため》にも家は荒れ、薄汚れていた。

割れた窓から彼は細い手を突っこみ、半月錠をはずした。

サッシをまたいで、そろそろと中へ侵入する。

一歩入った瞬間、彼は「なんだか煙い」と思った。母が台所で、鍋に火をかけたまま忘れてしまったときの匂いがする。なにかが焦げ、煙が立っている。

匂いのする方向に少年は歩いた。

廊下をたどり、そっと居間を覗きこんだ。

もうもうと立つ、真っ白な煙が見えた。彼は目をすがめた。誰かいる。煙の向こうに誰かが座っている。

髪がひどく長い。ジーンズを穿いてあぐらをかいている。肩に、女ものの着物をひっかけている。

例の男だ。あの男が家の中で火をつけ、しかもそれをじっと眺めているのだ。

その光景はあまりに異様だった。

小野瀬は息を飲み、慌てて首をひっこめた。心臓がどくどくと早鐘になった。

——ここにいたら、やばい。

見つかったら殺されるかもしれない。そんな思いが走り抜けた。

男が恐ろしかった。だが外で待ちかまえているだろう悪餓鬼たちのことも怖かった。

彼は割れた窓の部屋に戻り、抽斗を探った。なんでもいい。なんでもいいから、なにか持って帰らなくちゃ。目に涙が滲んだ。

なにかの箱が手にあたった。蓋がはずれたのがわかった。彼は手を突っこんだ。気ばかりあせる。うなじを冷や汗がつたう。

探りあてたなにかをポケットにねじこむが早いか、彼はふたたび窓枠をまたいで外へ走り出た。

が、そこに悪童たちはもういなかった。小野瀬を残して、とっくに彼らは帰ってしまっていたのだ。

少年は数秒呆然とした。やがて彼は、半泣きで家に駆け戻った。とことんまで遊ばれたのだということにようやく気づき、口惜しさと後悔とで胸が詰まった。

泥棒してしまった、と実感が湧いたのは夜になってからだ。

布団の中で彼はおびえ、震えた。

だがもうどうにもできなかった。父に打ちあけることも、母に泣きつくことも不可能だった。第一、いじめられていることを親に言いたくはなかった。なけなしのプライドが許さなかった。

小野瀬は結局、その日のことを誰にも話さずじまいであった。そして、いたずらに月日だけが流れた。

「子供は残酷やね」

ため息まじりに千代が言った。

「はい」

小野瀬は情けない顔で眉をさげた。

「それで、ついさっき……思いだしたんです。本家の葬儀があった日、ぼくは十数年ぶりにその、二丁目の、あの家の前を通りかかったんですが……」

忌中《きちゅう》の札が立っていました、と彼は苦しげに言った。

だがそのときは「あの家だ」と思いあたることすらなかった。記憶は完全に、脳の奥底に沈んでいた。

千代が言った。

「亡くなったのは、その男性本人で間違いないのかしら」

「だと思います。ほかには誰も住んでいませんでしたし」

「じゃあ盗んだものは、最後までかえせずじまいになったわけやね」

「そうです」

彼は悄然《しょうぜん》と肩を落とした。

「小野瀬さんの本家は、バイパスに乗って行けば実家から三十分程度でしょう。それが十年も行ってなかったということは、やっぱり無意識に避けてたんと違いますかしら」

「だと……思います」

さらに小野瀬は語った。

葬儀の際、彼のすぐ後ろに何人かの老婦人たちが座った。彼女らはぼそぼそ、ぼそぼそと読経の間じゅうずっと小声で噂話をしていた。

どうやら本家の近隣に住む人たちらしい。噂はくだんの忌中の札が立っていた家と、その家人のことであった。

べつだん小野瀬は熱心に聞いていたわけではない。ただ自然と耳に入ってくるので、聞くともなしに聞いていただけだ。

だがその言葉の断片は、彼の脳内でいつしかパズルのようにあわさって、ひとつのストーリイを構築した。

遠い昔に母から聞いた、

「あんたはそうやって怖がるけど、お気の毒な人なのよ。そりゃあもう愛妻家だったのに、その奥さんを病気で亡くしてね。ご近所の人たちも子供におばけ屋敷だなんて言わせておかずに、もうすこし気にかけてあげればいいのに」

と怒気まじりの言葉も、物語を補完するのに一役かった。

ただ日中目覚めている間、それが小野瀬の意識にのぼることは一度たりとてなかったのだけれど。

「そういうもんですよ」

千代がうなずいた。

「起きている間に入ってくる情報量は、そりゃ膨大なもんですからね。いちいちとりあっていたらきりがない。だから睡眠中に、五感をすべて遮断して念入りに整頓するんです」

南西向きの格子窓から、初夏の陽射しが冴え冴えと射しこんでいる。

「彼は家の中で火をつけていた、と言いましたわね。それは、いったいなにを燃やしていたんでしょう」

「わかりません。煙でよく見えませんでした。でも確か木の枝とか、葉っぱとか……」

小野瀬は眉根を寄せた。

とにかく、ふつうなら庭さきで燃やすごみのたぐいでした、と彼は言った。それを家の中で燃やす行為が、よけい子供の自分をおびえさせたのだ、と。

「盗んだものはいま、どこにありますの」

「それが、覚えていないんです。捨ててはいないはずだから、おそらくまだ実家にあると思いますが」

「いえ、覚えてるはずですよ」

静かに千代が言った。

「でも……」

「すこしお手伝いしましょう。でもこれはわたしより、うちの孫の方が得意だから」

イチ、と彼女は背後にひかえていた孫息子を呼んだ。

小野瀬はおっかなびっくりといったふうに顔をあげて、壱を見た。安心させるように、にいっと彼が笑う。

「だいじょぶっす。たいしたことしないんで」

と言いざま、壱は小野瀬の手首を握った。

びくん、と小野瀬の体が跳ねた。体に電流でも送りこまれたかのような反応だった。空気に白い火花が散った気さえした——が、もちろん錯覚だった。

愕然《がくぜん》と目を見ひらき、小野瀬は己の膝に手を突いた。

壱の手は、すでに離れていた。

小野瀬は片手で額を押さえると、

「……祖母の、家です」

喘ぐように言った。

「母方の祖母の家——夢に出てきた、あの和箪笥がある家だ。庭の、樫《かし》の木の根もとに埋めました。怖くて、持っていられなくて、忘れたくて埋めたんです」

和箪笥のすぐ後ろにある窓から、いつも見えていた樫の木でした——と、小野瀬は荒い息をおさめながら言葉を継いだ。

千代が首を縦にする。

「では、行ってみましょうか」

小野瀬が目を見ひらいた。

「でもあの、その」

「行きましょう」

「でも」

「今晩もあの夢をみたくないなら、いま行くのんをおすすめします」

とまどい顔の彼を、千代はぴしりとさえぎった。


小野瀬の運転するセダンは、隣市の「何々町」ではなく、「大字何某《おおあざなにがし》」と区切られた田園地帯まで走った。

祖母の死後は空き家となったというその屋敷は、さいわいまださほど荒廃してはいなかった。

桟瓦《さんがわら》がいくつか割れてはいるが、木造の家屋はまだ頑健としている。庭は竹の四つ目垣に囲まれて、背の高い樫の木が裏手のあたりへ確かに見えた。

小野瀬はトランクに積みっぱなしだという雪かき用のシャベルを持ちだしてきた。木の根もとを、しばし掘る。壱がかがみこみ、手で土をかきわけた。

「あった」

金いろの缶が、湿った泥の間から覗いていた。

どの家庭でもよく見かける、お土産でもらうような菓子の缶だ。おそらくもとはクッキーやチョコレートが詰められていたのだろう。端がすこし錆《さ》びている。

「あけていいすか」

壱が問う。すこしためらってから、小野瀬はうなずいた。

「ああ」

ぎぎ、と軋む音をたてながら、缶はあいた。

中に入っていたのは、櫛《くし》だった。

濡れたように光沢のある、黒の漆塗《うるしぬ》りだ。鶴の金蒔絵《きんまきえ》がほどこされ、牡丹《ぼたん》の螺鈿《らでん》細工が切り嵌められている。螺鈿の青貝が、角度を変えるごとに白く青く、ときに桃や薄緑を帯びてきらめく。

――首の長い鳥。そして花だ。

「こんな、高そうなもの」

思わず晶水はつぶやいた。

小野瀬がくしゃっと顔を歪める。

「高価なものだと気づいたのは、帰宅してからなんだ」

とった瞬間は無我夢中だった。だが、もうかえすこともできなかった。名乗りでる度胸も、謝罪する勇気もなかった。

だからすべてをなかったことにするために、ここへ埋めてそれきり無理に忘れてしまったんだ——そう彼は低く呻いた。

二丁目のおばけ屋敷に住まうあの男は、評判の愛妻家だったという。

だが妻が亡くなって以来、仕事をやめ、黒髪自慢だった妻そっくりに髪を伸ばし、うろうろと近隣を徘徊《はいかい》するようになった。

彼は妙ないんちき坊主につきまとわれ、「あんたさえその気なら、奥さんを生き返らすことができる」と吹きこまれていたそうだ。

「ただし、神さまのご機嫌をとるにはそれなりのものを用意せにゃならん。わかるだろう、お布施だよ」

坊主のその言葉で、彼は貯えをみるみる失った。妻と共働きだった頃の貯金も、親の遺産も、当の妻の保険金すら巻きあげられた。

彼の生母は着道楽で、売れば一枚八桁はくだらぬ着物をたんまり遺していったそうだ。が、彼はそれもすべて質に入れてしまったらしい。男の死後、親戚が家内をあらためてみると、箪笥には襦袢《じゅばん》一枚残っていなかったという。

だがそれでも自称霊能者の坊主は彼を離さなかった。

彼はじわじわと金を絞りとられつづけた。着物を失くした箪笥の抽斗は、代わりにあやしげな金融会社の督促状でいっぱいになっていたそうだ。

生前の彼は坊主に払うための金策のかたわら、ずっとなにかを探しまわっていたと、噂好きなあの老婦人たちは言っていた。

かのいんちき坊主は、

「死者蘇生には、奥さんが生前もっとも大事にしていた形代《かたしろ》が必要不可欠だ」

と彼をいつも説いていたという。それが足りないから、あなたの細君をなかなか蘇生できないのだ、と。

――あの櫛だ。

意識の底で小野瀬は気づいた。

妻が生前大事にしていた形代。男が探しつづけていたのは、きっとあの櫛だ。

忘れたつもりだった。あの樫の根もとに埋め、すべてをなかったことにして記憶を消去していた。だが脳も心も、ほんとうは忘れてなどいなかった。

男は死ぬ直前、伸ばした黒髪をざっくり切っていたという。読経の間、ずっとぺちゃくちゃやっていた老婦人たちは面白半分にそう語っていた。

そして男の亡妻は抗癌剤《こうがんざい》の副作用で、死の間際はほとんど禿頭《とくとう》であった、とも。

「――許されないと、思いました」

小野瀬はその場に膝をつき、深くうなだれていた。

「子供のやったことだからといって、勘弁してもらえることじゃない。自分のしたことが怖かった。なのになんの罰も受けず、のうのうと生きていることがもっと恐ろしかった」

ああそうか、と晶水は思った。

だからせめて彼は、夢で自分を罰したのだ。償い。罪悪感。丈なすみどりの黒髪に、彼は罰せられたかったのだ。

夢をみるようになった契機は、もちろん忌中の札を見て男の死を知ったことだろう。

どんなに深く意識下に押しこめていようと、良心は耐えられなかった。痛み、疼いて悲鳴をあげ、彼は夢をみるようになった。

「きれいね」

櫛を陽に透かして、千代が目を細めた。

「とてもきれい。ね、アキちゃん」

「え、あ――はい」

晶水は急いでうなずいた。

千代はゆったりと微笑み、「せっかくだもの。ついでにお墓参りもして行きましょうよ」

と言った。

男の姓と墓のありかは、さいわい小野瀬の母が知っていた。

生前の、近隣の彼への扱いに憤慨していた母は、何度かすでに墓参を済ませていたという。

それも小野瀬にとっては、はじめて知る事実であった。

「おかあさんがその人に同情的なことを肌で感じていたから、よけい罪悪感がつのったんでしょうねえ」

千代の言葉に、彼は「かもしれません」と肩を落とした。

墓は町はずれの、さほど大きくない寺の一角に建っていた。代々の墓に、彼は妻とともに葬られたらしかった。

途中で買った線香と花を供えてから、千代は供物台にうやうやしく黒漆の櫛を置いた。

さらにかばんから取りだした、なにやら黒く練り固めたものを香立に立てかける。火をつけると、なんともいえない匂いが漂った。

「なんです？」

晶水が訊く。

千代は微笑した。

「西行いわく、苺《いちご》の葉と繁縷《はこべ》の葉を灰に焼いたものを揉みあわせ、なんたらかんたらして、さいかちの葉と木槿《むくげ》の葉を焼いて擦りつけ、さらに何日か置いて、伽羅《きゃら》と沈水香《じんすいこう》を焚《た》く――らしいのよ。でもそこまではとうていやってられませんから、手に入る材料だけ集めて、流行りのお香にしてみたの」

怪訝な顔をする晶水に、

「いわゆる反魂香《はんごんこう》、というやつね」

と千代は言った。

「西行という昔のお坊さんが、死人の骨を集めて新たに人を造ろうとした。けれど色つやのよくない、心のないものしかできなかった。そこで中納言の師仲《もろなか》卿に教えを乞うてみたところ、この〝香を焚く〟やりかたの、反魂の術を授けてもらったんだそうよ。かの男性が家の中で葉っぱを燃やしてたというのは、たぶんこれをやりたかったんやないかと、わたしは思うの」

だからきっと、これもひとつの供養になりますでしょう――と千代は言い、墓前に両掌をあわせた。

小野瀬も、晶水も壱も、粛然としてそれにならった。

たっぷり一分ほどしてまぶたをあげ、晶水は目を見ひらいた。

墓石に、濃い褐色をした蛇がのったり巻きついていた。それはつやを刷いた、束なす黒髪にひどく似て映った。

第三話　問う泉

1

薄闇が体を包んでいた。

彼は、やわらかいものを踏みしめつつ歩いている。一歩すすむごとに、靴底がわずかに沈む。湿っぽい匂いが鼻をつく。

たぶん苔《こけ》だ、と彼は思った。ぶ厚い苔がいちめんびっしり生えた山道を、彼はひとり歩いているのだった。

滑らぬよう、無意識に足に力がこもった。なにしろ来週に試合をひかえているのだ。こんなところで故障するのは馬鹿馬鹿しい。それに怪我などしたら、心配性の母をきっと半狂乱にさせてしまう。

まぶたをきつく閉じ、数秒待ってひらく。

左右に立ちならぶ木々の輪郭が、淡くぼうと見えた。ようやく闇に慣れてきたようだ。彼は数メートル先に焦点を絞り、目をすがめた。

空気がひんやりしている。

どこの山だろう、と思った。この冷気からいって、おそらくそれなりの標高であるはずだ。

防寒着を着こむほどではないが、軽装でハイキングコースを気軽に歩けるたぐいの山ではなさそうだった。

――部の合宿で行った山荘まわりに、すこし似ているかもしれない。

彼は足を止めた。

目の前に勾配のきつい石段があった。顔をあげる。が、頂上ははるかかなたに霞《かす》んで見えなかった。いったい何十段、何百段あるかもわからない。

石段に足をかけた。靴のサイズより幅がせまい。のぼりにくい。だがやめようとは思わなかった。上へ向かうのが、ごく自然なことに思えた。

うつむき、彼はただ黙々とのぼった。果てがないのではと思えるほど長い階段だった。足もとは暗く、踏みはずせばまっさかさまに転げ落ちてしまいそうだ。

ふと、匂いがした。

直感的になぜか、水だ、と思った。これは水の匂いだ。

彼は石段を駆けあがった。急に喉の渇きを覚えていた。水、水とそれだけを思いながら走った。

天辺までの距離は、意外に短かった。どうやら下から見あげたときほど高くはなかったらしい。

ゆっくりと彼はあたりを見まわした。

鬱蒼《うっそう》と木々が繁り、枝の間から淡く細い陽が射しこんでいる。足もとは苔ではなく、乾いた草の絨毯《じゅうたん》に変わっていた。

中央に泉があった。水面はきれいに凪《な》いでいる。射しこむ陽光を受けて、鮮やかな翡翠《ひすい》いろに澄んできらめく。

覗きこんでみると、自分の顔が映った。どこまでも見とおせるのではと思うほど透明で、なのに底は見えなかった。この泉も木々も、まるで童話の光景のように美しい。

突然、ぼこっ、と水面が泡立った。

思わず彼は身をひいた。泡が大きくなっていく。噴水のように泉が隆起する。激しい水音が鳴った。

彼は目をしばたたいた。泉から、白い手が二本突きだしていた。

ささやくように、ひそやかな声がする。

——あなたが落としたのはこれ？

——それともこれ？

ああなんだ、夢か、と彼は思った。

そういえば昔、こんなお伽ばなしを絵本で読んだ。あるとき貧しい木こりが泉に、愛用の斧《おの》を落としてしまう。すると女神があらわれてこう問うのだ。

「あなたが落としたのは金の斧ですか、それとも銀の斧？」

正直者の木こりはどちらでもないと答える。女神は彼の実直さに感心し、愛用の斧をかえすとともに、金の斧と銀の斧も褒美に与える。確かそんな話だったはずだ。

だがいま彼に差しだされているのは、斧ではなかった。

白い右手は、曲がった肌いろの枝を摑んでいた。そして左手は、西瓜《すいか》のようなものをぶらさげていた。

――いや、そうじゃない。

彼は目を細めた。あれは枝でも西瓜でもない。曲がっているのは、あれは――膝だ。左手が握っているあれは、西瓜を入れた網ではなく、短い頭髪だ。

人間の片脚と、生首。

マネキンだろうか、それともソフトビニール製のおもちゃか。

ふいに生首が、きょろりと目を剝いた。彼は息を飲んだ。ふたつの眼がこちらを凝視している。まっすぐに睨めつけている。

声が響いた。

――あなたが落としたのは脚？

――それとも、首？

いいや、どっちでもない。そう答えようとした。だが、声が出ない。おれはそんなものを落としてやしない。首を振りたいのに、体も微動だにしない。

叫ぼうとした刹那《せつな》、ベッドで彼は目を覚ました。

2

晶水は県の体育会館を訪れていた。

この空気はひさしぶりだ。床を擦って鳴るバスケットシューズの音も、ボールが床を叩くかすかな震動も、なによりこの緊張感も。

違うのは自分がコートの中ではなく、二階の観客席にいることだった。

手すりに肘をついて、下を見おろす。

試合はすでにはじまっていた。青のユニフォームが晶水たちの通う鐙田東《あぶみだひがし》で、白が相手の京北学館だ。

長身ぞろいのメンバーの中で、群を抜いてちいさな選手が目に入る。青の十一番。正式部員ではない、助っ人の山江壱だ。

きれいにパスが通って、ボールが彼に渡る。観客が息を飲む。

壱の膝が、くん、と沈んだかと思うと、次の瞬間には全身が伸びあがり、指さきから美しい放物線が放たれる。

ボールがなめらかにネットをくぐった。

ほう、と客席からため息が洩れる。

「今度は３Ｐか」

「あいつに渡しちゃだめだよな。でも、うちの現役生じゃ止めらんねえか」

社会人らしき観客が「くそ、おれが出てたらなぁ」と苛立たしそうに言うのが聞こえた。どうやら京北のＯＢのようだ。だが壱がボールを持つたび、彼の言葉は止まる。ひたりと視線が一点に吸い寄せられる。

吸引力のある選手、というのはいるものだ。観客はもちろん、試合中のプレイヤーまでも惹きつける怪物級の選手というものが。かつてはコートの中にいた晶水も、むろんそれをよく知っている。

そしていま、観客たちの目は青の十一番に釘づけであった。

動きが違う。スピードが、運動量が違う。一瞬前まで自陣のゴール下にいたはずが、いまはもうセンターサークルを越えてボールを奪い合う位置にいる。

当然のことながら、マークがきつい。小柄な選手だからだろう、審判に見えないファウルも多い。本気でつぶすつもりで相手があたってくる。

マークをかわした壱に、ボールが渡る。ふっ、と客席に緊張が走る。

ブロックの手が伸びた。壱がわずかに後方へ飛び、シュートする。フェイダウェイだ。やや山なりに飛んだボールが、吸いこまれるようにリングネットを抜けて落ちる。

ほっと息をついたところで、

「おっ、石川じゃん」

「ほんとだ。こんちはー」

と、背後から気の抜けた声がした。

肩越しに晶水が振りかえると、私服の男子高校生ふたりが立っていた。

長身の方は白のポロシャツにチノパンツ。中肉中背の方は派手なプリントのTシャツにハーフパンツをあわせ、さらに原色のビーチサンダルという対照的ないでたちだ。どちらも見知った顔である。一年A組の等々力拓実と、蜂谷崇史だ。

ふたりとも壱と仲がいいらしく、よくいっしょにいるところを見かける。どうやら今日は連れだって試合の応援に来たらしい。

拓実は躊躇なく晶水の横に並び、ひょいと下を覗きこんだ。

「どう、勝ってる？」

肩をすくめ、晶水は答えた。

「十四点差で、うちがリード」

「おお、いけそうじゃん」

審判の笛が鳴った。相手チームが選手交代する。三年のＰＧがひっこんで、代わりにひとまわり体格のいい選手が入る。

「どれがイチ？……って、聞くまでもないか」

「こうして見るとちいせぇなあ、やっぱ」

手すりから身をのりだすようにして、拓実と崇史が嘆息する。

「しっかし、よく動くねえ」

「なんかのおもちゃみてぇだな。チョロＱ的な」

彼らを無視して、晶水は試合に集中することにした。

交代して入った選手が、新たに壱のマークについたらしい。だが、ファウルが多い。ものすごく多い。いや、こうして上から見ていると、ファウルなんてなまやさしいものじゃない。あきらかに体ごと押しているし、平手で叩いている。

「ちょ――どこ見てんの、審判」

つい舌打ちしてしまう。

その横で拓実と崇史はのんびりと、

「あいつ、反則うまいね」

「だなあ。ヒール転向後の蝶野《ちょうの》ばりだ」

などと、友達甲斐のないコメントを発している。晶水は思わず呆れて、「あんたら、なにしに来たの」と言った。

「応援に決まってんじゃん。お、うまい」

拓実が身をのりだす。

コートでは壱が体を入れ替え、相手をかわしたところだった。フェイントをかけ、相手の腕が伸びきったところで、後ろへ飛びざまシュートを放つ。

「またフェイダウェイ」

「得意技だもんなあ」

吐息をつく崇史を横目に、晶水は手すりに頬杖をつきなおした。

フェイダウェイを得意にできるということは、ボディバランスと手首の強さに自信があるということだ。胸がちりっと痛む。正直、妬《ねた》ましい。だがこうして見ていると、その自信も当然だと思えてくる。

筋肉のたわみ、しなり。指さきどころか、爪の一枚一枚にまで血が流れ、神経が通っているかのようだ。「全身バネ」というのは、きっとこういう人種にのみ与えられる言葉なんだと思う。

現役時代、晶水も身体能力には自信があった。スピード、バネ、体格。どこをとっても「負けた」と思えた相手はいなかった。

なのに、それがいま目の前にいる。体格ではるかに劣る相手にも、持てる身体能力とセンスだけで対峙《たいじ》できる選手がいる。こうして遠くから見ているだけで、全身にぞわりと鳥肌が立つ。

――こんなふうになりたかった。

歯噛みする。こんなふうにプレイしてみたかった。もうコートに立つことは二度とできないけれど、せめてもっと早く出会えたらよかった。うずうずする。血が騒いで、心臓がざわめく。

壱がパスを放つ。

きれいに通った――が、直後に前へ転倒した。

腕を摑まれて倒されたのだ。完全なファウルである。しかも、あまりよくない倒れかただった。なのに審判の笛は鳴らない。

「っざけんな、どこに目ぇ付けてんの審判！」

コートに向かって怒鳴る晶水を、周囲の観客がぎょっと振りかえった。

「ちょ、石川。落ちついて」

どうどう、と拓実が手でなだめてくる。

「落ちついてるよ。抗議しただけじゃん」

「いやいや、いまのは抗議じゃなくて野次だろ。もしくはブーイングか暴言」と崇史も苦笑した。

「意外と短気だなぁ、石川」

と笑う拓実を、晶水はじろりと見やった。

「は？　意外ってなに」

「いやあ」

弱ったように、彼が額を掻く。

そういえば等々力拓実とは中学がいっしょだった。だが同じクラスになったことはないし、ろくに口をきいたこともない。接点といえばかろうじて、美舟が二年のとき「委員会が同じだ」と言っていたことくらいか。へらへらと不真面目そうな感じで、あまり印象はよくなかった。

「なんとなく、もっと醒めたタイプなのかと思ってたからさ。外見どおりのクールビューティなのかなって」

「等々力、飲んでんの？」

冷たく言って、晶水は試合に目を戻した。

ちょうど相手のシュートが決まったところだった。だが鐙田東のリードは揺るがない。一進一退を繰りかえしながらも、じりじり点差はひらいている。

チームは青の十一番にボールを集めようとしていた。マークがきつい。ファウルも厭《いと》わない手をかいくぐって、壱がパスを受ける。

小柄な彼にあたりが強くなるのは、しかたのないことだ。それは晶水にも重々わかっている。穴だと思われているからだ。「穴」を狙ってつぶすのは、べつになんの不思議でもない。勝負の定石だ。

――でも。

たとえ対戦相手だとしても見惚《みと》れ、敬意を払ってしまう選手というものがこの世には存在する。もっとこのプレイを見ていたい、邪魔したくないとさえ思ってしまう選手が、だ。

まさに山江壱がそれだった。彼を相手にファウルを仕掛けること自体、バスケへの冒瀆《ぼうとく》だと思えてくる。尊敬と、それをうわまわる羨望《せんぼう》と嫉妬で胸が焦げる。

残り時間がすくない。

ボールを持った壱の体が、くん、と反りかえる。

一瞬、世界が音を失くす。

息もできないような静寂の中、ボールがリングネットにノータッチで沈む。一拍おいたのち、客席からうわっと歓声があがる。

結果は二十一点差で、鐙田東の勝ちであった。

「くっそ、だらしねえなあ」

「今夜の酒はまじーぞー」

ぶつぶつぼやきながら、京北のOBらしき男たちがひきあげていく。下では試合終了後の整列がおこなわれ、礼が終わるやいなや、すぐに次の試合の準備へ切り替えられる。

ユニフォームにジャージを羽織っただけの格好で、

「なーんか、見慣れない組みあわせの顔ぶれだなぁ」

と言いながら壱が二階にあらわれたのは、約五分後のことであった。

「タカシもタクも、なんでこんなとこにいんの？」

「なんでって、観に来てやったんじゃねえかよ」

崇史が言い、

「暇なんだもん」

　と、拓実がへらっと笑う。

「石川は？」

「……わたしは、単なる買いものの帰り」

　右手のスーパー袋を、晶水は掲げてみせた。

　嘘ではない。体育会館の近くのスーパーで、アイスクリームが特売だったから自転車をかっ飛ばして来たのだ。

　いちおう今日が試合だとは知っていた――が、あくまでたまたまだ。偶然スーパーが体育会館の半径二十メートル以内に建ち、さらに偶然、試合時間と買いものの帰り時刻がかち合ってしまった。それだけである。

　壱の目が、ちらっと晶水を見た。

　が、ほんの一瞬だけ合った視線はすぐにそらされ、

「勝ったはいいけど、腹へったあ」

　いつもの無邪気な口調で彼が笑う。崇史と拓実の方を向いたまま、

「朝メシ足んなくてさ、行きのバスん中で弁当食っちゃったんだ。だから昼は、マネからもらったキスチョコ五粒しか食えてねーの」

「それでよくあんな動いたな」

「糖分切れたらそこで終わりだったんじゃない」

笑いあう彼らの横で、晶水は手持ち無沙汰に立ちつくしていた。

——なんでわたし、こんなところにいるんだろう。

試合は終わったし、もうここにいる意味はない。スーパーで一時間ぶんのドライアイスをもらったとはいえ、いつまでも寄り道していたらせっかく買ったアイスクリームが溶けてしまう。

いいかげん帰らなくちゃ、と思ったとき、また壱と目が合った。

今度はそらされない。じっと見つめてくる。

壱の唇がひらいた。

「石川、おれ——」

「これあげる」

彼がなにか言うより早く、晶水は右手を突きだした。

なかば強引に壱の手に握らせたのは、さっき会館前のローソンで買ったチキンカツサンドとカレーパンだ。壱が目をしばたたく。

「え、あ、いいの？」

「だってあんた、おなかすいてんでしょ。そんな目で見られたら、あげないこっちが悪いみたいじゃん」

ちょっと遅めの昼食にするつもりで買ったのだが、しかたがない。自分のぶんはまた帰りにローソンへ寄ればいいだけだ。

「あ……うん」

なぜか壱は、困惑顔のまま うなずいた。かるく頭を掻いてから「ありがと。着替えてくる」と言い、きびすをかえして階段をおりていく。

拓実が苦笑した。

「石川、鈍い。……っていうか、真面目?」

「え?」

「イチのやつ、べつに『なんかよこせ』ってつもりで見たんじゃないと思うよ? そうじゃなくてさ、えーっと、なんていうか」

きょとんとする晶水に、彼が言葉を重ねる。

「ごめん。イチの言うとおり、石川って確かに隙だらけかも」

顔をそむけて、崇史がぶっと盛大に噴きだした。晶水は眉間に思いきり皺を寄せ、彼を睨みつける。

「蜂谷、なにそのリアクション」

「いやあの、悪《わ》りい。でもべつに、馬鹿にしてないから」

「はぁ？」

「だから、ごめんって」

凄む晶水に、崇史が必死に片手で拝んでみせる。その横で、細い目をさらに細くして拓実がにやにやと笑っている。

舌打ちして、晶水は彼らに背を向けた。


体育会館を出て、自転車置き場へとおりた。

惨状に、しばし呆然とする。どうやら晶水が駐輪したあと、駆けこみで他校生たちが大量に入場したらしい。整列せずごちゃっと駐《と》めた自転車が、団子になって出入り口をふさいでいた。おかげで愛車を出すまでに、かなりの労力と時間とを要した。

前籠に買い物袋を入れ、ひと息つく。

と、歩道に白ジャージと青いユニフォームの二人組が目に入った。

ひとりはかなりの長身で、さっきの等々力拓実よりさらに高い。もうひとりは、それに比べ二十センチ以上低かった。なのに身長差をものともせず、顔を寄せてなにやら熱心に話しこんでいる。

晶水は自転車の鍵をあけつつ、横目で彼らをうかがった。

その視線を感じたわけでもないだろうが、ふいにちびっ子の方が振りかえる。晶水の心臓がどくんと跳ねる。

その動きにつられたように、長身の男も彼女を見た。そして、右手をあげた。

「おう、ひさしぶり。石川じゃん」

爽やかな笑顔だった。ルックスといい仕草の自然さといい、清涼飲料水のＣＭばりだ。退路を断たれたような思いで、

「……っざす。先輩、おひさしぶりです」

と晶水は自転車を押して近づき、彼に頭をさげた。

長身の白ジャージは、葛城《かつらぎ》という名のバスケ部三年生だ。おまけに新鞍中学の出身者で、つまり晶水のもと先輩であった。男子と女子の違いはあれど、中学時代はそれなりに世話になった相手である。黙礼のみで通りすぎるわけにもいかない。

「帰りのバス、乗らないんですか」

挨拶ついでにそう訊いてみた。

試合の日はいつも送迎のマイクロバスが出るはずだ。顧問の先生かもしくは有志の保護者

が、選手たちを試合会場から高校まで運んでくれるのである。だが彼らはいま駐車場の反対方向にいるばかりか、着替えてすらいない。

　葛城がうなずく。

「ああ、ちょっとばかりイチと話があってさ。汗流しがてら、おれのおごりで近くのスーパー銭湯でも寄っていこうかと」

「へえ、いいですね」

「石川も行く？」

　壱の言葉に、晶水はじろりと白い目を向けた。

　彼がちょっと身をひいて、

「んな怖い顔することねーじゃん。ま、いいや、あとでメールするな」

と笑った。そのやりとりに葛城が目を見ひらき、おそるおそるふたりを交互に指さす。

「え、なにおまえら、ひょっとしてつきあってんの？」

「違いますよ！」

　慌てて否定した晶水の横で、

「まだっす」

　壱がしれっと答えた。葛城が唸る。

「おいおい、この石川相手に〝まだ〟と言える段階まで詰めたのか。やるなあ、イチ」

「もうちょいっすね」

あと一押し、などと手ぶりで示す壱の後頭部を、無言で晶水は音高くひっぱたいた。


帰宅すると、時計の短針はもう六にかなり近かった。

ドライアイスはすっかり気化し、アイスクリームが溶けはじめる寸前のすべりこみ帰宅であった。

いつもどおりの時刻に帰ってきた父の乙彦に夕飯をとらせ、風呂に向かわせ、その間に通勤かばんの中身をあらためる。

財布、携帯電話、バスの定期、ピルケースが無事持ち帰られたことを確かめて、ようやく「よし」とかばんを閉じた。

愛用品を失くすとパニックになるくせに、乙彦は考えごとに熱中するとなんでもへいきで置き忘れてきてしまうのだ。日をまたぐと取りかえすのがむずかしくなるため、存命中は母が、いまは晶水がこっそり確認しておくのが毎晩のならいであった。

十時半きっかりに父を寝室に押しこんだあとは、明日の朝食と弁当の支度だ。

とはいえ乙彦の習慣は毎朝同じであるし、さしたる苦労もない。やることといえば米をとぎ、弁当の食材をつくり足しておくことくらいである。最初は面倒だったが、ルーティンワークとして慣れてしまえばどうということもなかった。

——でも。

水でもどしたひじきを、人参、牛蒡《ごぼう》、ちくわ、白滝、油揚げとあわせて炒《い》り煮にしながら、ぼんやり考える。

といだ米を明日の朝七時に炊きあがるようセットし、まだ考えこみながら二階の自室へ向かうべく階段をのぼった。

あかりのスイッチを入れる前に、ランプがまたたいているのが視界に入った。

机に置きっぱなしだった携帯電話だ。

着信ランプが青く、ちかちかと光っている。

ちいさく吐息をつくと、晶水は新着メールを確認するべく画面をタップした。

3

「あらまあ、男前」

葛城の風貌に、千代はたいそう上機嫌であった。

「イチとアキちゃんの先輩なんですってね。まあまあ、ようこそいらっしゃいました」

「どうも、お邪魔します」

体育会系特有のでかい声で挨拶をして、葛城が三和土でスニーカーを脱ぐ。晶水もそのあとにつづくようにして、「お邪魔します」とローファーを脱ぎ、すこし考えてから葛城のぶんも靴を揃えた。

「カツラ先輩がうちのお客になるらしいから、石川も手伝ってよ」

と壱からメールが来たのは昨夜のことだ。

後輩である自分に夢を覗かれるのは抵抗あるのではないか、と反駁《はんぱく》したのだが、当の葛城本人は、

「石川も手ぇ貸してくれるんだって？　悪《わ》りいな」

と、いたってあっさりしたものであった。

「イチからだいたいの流れは聞いてます？」

千代の問いに、

「いや、ほとんど聞いてないっす。聞いてもどうせあんまわかんないだろうし、イチは信用できるやつだから、きっと任せてだいじょうぶだろうって思いまして」

と葛城は笑顔になった。

千代もにっこり笑う。

「まあ、若いのに嬉しがらせもお上手」

その間に晶水はお茶を淹れに立った。

なんだか勝手知ったる他人の家、といったふうになりつつあるな、とわれながら複雑な気分になる。

外はじりじりと焦げるような暑さだが、風の通りがいいのか、山江家の座敷はずいぶん涼しかった。これなら熱いお茶でもいいかと、ほうじ茶を選ぶ。

「アキちゃん、冷蔵庫にいただきもののゼリーがあるのよ。みんなで食べましょう」

との千代の声に「はい」と応え、四人ぶんを朱塗りの盆にとる。

奥座敷に戻ると、すでに葛城は膝を崩してあぐらをかいていた。壱はその横で、自宅だというのになぜかちょこんと正座している。ただ座っているだけなのに、仕草がいちいち小動物を連想させるから不思議だ。

お茶と冷たいゼリーで一服してから、千代が口をひらいた。

「それで、どんな夢をみますの？」

湯呑を置いて、葛城は首をかしげた。

「なんていうか……起きてから考えてみると、そう怖い夢でもないかな、と思えるんです。

でもいざ夢の中にいると恐ろしくて、声をあげて飛び起きる、というのがこのところ毎晩で」

　彼はすこし躊躇してから、

「馬鹿馬鹿しいですけど、あの、童話の『金の斧、銀の斧』ってあるじゃないですか。あれそっくりに泉の中から〝おまえが落としたのはどっちだ〟って訊かれるんです。おれはどっちも落としてないって答えたいんですけど、夢の中じゃ声が出なくて」

「斧を差しだされますの？」

「いえ」

　葛城は首を振った。

「一方はいつも、おれの腕か脚です。ときには腕も脚も、のこともあります。そしてもう一方は」

　すこし眉をしかめる。

「首なんです。誰のものかわからない、男の生首」

「へえ」

　千代は深く問わず、ただ吐息まじりの相槌《あいづち》をうった。

　葛城が手で額を擦って、

「でも、前者はなんとなくわかる気がするんです。幼児のときにおれ、利き腕と両脚にひどい怪我をして、しばらく入院してたことがあるらしいんすよ。自分じゃほとんど覚えてないんですけどね。ほら、夢って深層心理のあらわれだとかってよく言うじゃないですか。だからおれ、また怪我をすることを怖がってるんじゃないのかな」

「そうかもしれませんね」

千代が目を細めた。

横から壱が口をはさむ。

「カツラ先輩がいま故障したら、うちのバスケ部やばいっすもんね。去年ごたごたがあったせいで、部員だいぶ減っちゃったんでしょ？」

「ああ」

かすかに葛城は眉根を寄せた。

ああそれでか、と彼らの脇で晶水は思った。

なるほど、たかが助っ人の山江壱に、ポイントゲッターを任せているのはそのためか。いくら壱が優秀な選手でも、葛城らしくないやり口だと内心いぶかっていたのだ。だがなんらかの理由で部員が激減して、背に腹はかえられない、といった状況というわけなら納得がいく。

葛城が言った。

「えっと、でも怪我を怖がってるのはおれだけじゃないんです。その昔の怪我がトラウマで、うちの母親っていまだにすごい心配性なんすよ。バスケはなんとか許してもらえてるけど、たとえば空手や柔道なんかを部活に選んでたら大反対されたと思います。あと、スパイク履かなきゃいけない野球やサッカーもだめ。硬球なんてもってのほか。ラグビーやアメフトなんか、口に出しただけでも泣かれたんじゃないかな」

「母親なら、ある程度はしかたないわね」

やんわり千代は微笑んで、

「で、生首の方に心あたりはありますの」

と訊いた。

なにかを言いかけ、葛城は口を閉ざすとかぶりを振った。

「男だということだけは確かみたいなんですが、あとはなんとも」

ちらっと壱が晶水を見た。視線の意味がわからず、彼女は目をしばたたいた。

かたり、と音をたてて千代が湯呑を置く。

「では葛城さん、そろそろ寝間に行きましょうか。ひとまず夢を〝みさせて〟もらいますわね。そのあとでまたすこし、お話を聞かせてくださいな」

と、彼女は袂で背後の襖《ふすま》を示してみせた。

並んで敷布団に横たわった千代と葛城を、晶水はすこし不思議な思いで眺めた。葛城先輩のようなタイプがまさか、この手の店を訪れることがあるとは思ってもみなかった。だが、人のことは言えないかもしれない。晶水だっていざ自分が悪夢に悩まされるまでは、こんな世界に興味を持ったことすらなかったのだ。

そっとささやいた。

「ね、山江」

「ん?」

眠るふたりから目をそらさず、壱が声だけで応えた。

「バスケ部の、去年のごたごたってなに? なんか知ってるの」

「直接は知らない。噂でちょこっと聞いただけ」

「噂になってたんだ」

晶水は眉をひそめた。

すくなくとも自分は耳にしたことがない。美舟なら知っているだろうか。そう考えたことを読みとったかのように、

「男子部だけのごたごただったから、同じバスケ部でも女子にはあんま関係なかったと思うぜ。知ってるのはたぶん『先代の監督に保護者たちからクレームがついて、年度の途中なのに監督交代になった』ってことくらいだと思う」

と壱が言った。

「クレーム？　そんなにひどい監督だったんだ」

「体罰が多かったことは確かっぽいな。でも噂に尾ひれがつきまくって、最終的にはなにがほんとでなにが嘘かわかんなくなっちゃったってさ。どんな噂かは、おれもよく聞いてないから知んない」

じっと千代の顔を見つめていた壱が、

「そろそろかな」

ぽつんとつぶやく。

「石川」と、当然のように手を差しだされた。晶水も手を伸ばし、おずおずと握りかえす。壱が目を閉じるのを待って、自分もまぶたをおろした。

高速度のエレベータに乗ったかのように、意識が急降下する。

また、透明な床が足もとにあった。

ガラスのような見えない床をへだてて、深緑に繁る森が見えた。きっとあれが葛城の夢なのだろう。ではあそこで陽を弾いて光っているのが、童話の『金の斧、銀の斧』に出てきそうな、と形容されたくだんの泉だろうか。

ぷん、と鼻さきでなにかが匂った。いい香りではない。思わず晶水は顔をしかめた。

泉から、白い腕が二本伸びているのが見えた。

右側の腕はつけねからもぎとったような人間の脚を摑み、左側の腕はなにか黒っぽいまるいものをぶらさげている。

男の生首だ、と葛城は言っていた。でも、そうは見えない。なんだろう。晶水は目をこらした。身をのりだし、ガラスの床に両手を突く。

「石川！」

壱の声がした。はっと顔をあげる。

気づいたときには、もう腕を摑まれていた。ひきずりあげられる。なまぬるい水から、冷たい清水にひき戻される。

目をあけた。

まず、呆然と敷布団に座りこむ葛城が視界に入った。次いで、裾を押さえて起きあがる千代が、そして最後にすぐ隣の壱が映る。

額にかかった前髪を、ゆっくりと葛城が掻きあげる。

「あの――ええと、なんというか」

彼の髪は、わずかに寝汗で濡れていた。

「いまの夢を、ここのみんなでいっしょにみた、んですよね。なんだかすごく……へんな感じです」

「かもしれませんねえ」

鷹揚《おうよう》に千代は応えて、

「なにか気づいたことはありました？」

と問うた。

葛城は一瞬言葉に詰まったようだった。そして、ためらいがちに口をひらいた。

「へんなこと、言ってもいいですか」

「ええ、なんでもどうぞ」

「……さっき、気づいたんです。首って、ええと、言葉そのままって可能性もありますよね。たとえば仕事を馘首《くび》になる、とかのクビ」

晶水は思わず壱と目を見かわした。今度はちゃんと意味を持たせて、かるくうなずく。

「だとしたら、心あたりがありますの？」

千代が尋ねた。葛城はうつむき、

「あるような、ないような……」

言葉を濁した。たっぷりと長い静寂が落ちる。

そっと晶水は右手をあげた。

「すみません、発言していいですか」

一同の目が彼女に集まる。晶水は声を低めて、

「なにか、匂いませんでした？」

と言った。

壱が意外そうに目を見ひらき、それから「うーん」と唸る。

「そういえばおれ、夢ん中であんまり匂いって感じたことないかも。石川、それってなんの匂いだった？」

「わからない。でも嗅ぎなれない感じで、あんまりいい匂いじゃなかった」

「そうだ」

突然、葛城が膝を叩いた。

「おれ、いつも夢の中で『水が匂う』って思ってるんだ。ふだんそんなこと思ったことないのにな。なんでだろう」

葛城をしばしじっと見つめてから、壱は晶水に向きなおった。

「水ってことは、あの泉からかな。匂うって、カルキくさいとか水道の錆《さび》くさいとかそういうこと？」

「ううん、たぶん違う。うまく言えなくてごめん」

かぶりを振ってから、

「もうひとつ言っていいですか」

と晶水は葛城を見やった。

「ぜんぜん見当違いの意見かもしれないんですが、すみません。でも先輩、わたしにはあの腕が差しだしていたものが、人の首には見えなかったんです。確かに同じような大きさなんですけど――わたしの目には球技用の、五号か六号くらいのボールに見えました」

彼女の言葉に、葛城はぎょっと目を剝いた。

4

バスをおりた途端、雨足が強くなった。

口の中でちいさく舌打ちし、葛城は肩掛けのバッグで頭をかばいながら走った。

気休めだとはわかっているが、それでもなんとなく頭や顔が濡れるのはいやなものだ。愛用のナイキのスニーカーが、みるみる濡れて灰いろになっていく。

　バス停からななめに道を横断し、新築のアパートを二軒通りすぎるとそこは住宅街だ。葛城の家は、その端の一角に建っていた。

「ただいまあ」

　声をかけると、奥から母の声がした。

「おかえり。あんた傘持っていかなかったでしょ？　濡れちゃったんなら、服脱いでからあがってよ」

　うんともああともつかぬ声で返答しながら、彼はさっさと三和土で制服を脱いだ。パンツ一丁になり、マットで念入りに足を拭いてから、濡れた服を小脇にかかえて廊下を歩く。

　基本、葛城はあまり母に口ごたえしない。従順とまでは言わないが、滅多なことではわがままもおねだりも言いはしなかった。

　だがそれで当然だ、と彼は思っていた。

　なにしろ女手ひとつで仕事も家事もひきうけ、おまけに心配性をおして部活のバックアップまでかって出てくれる母なのだ。この母相手に反抗期全開の自己中坊主になるのは、なかなかに良心のハードルが高い。

　脱いだ服を洗濯機に入れ、汚れものの溜まり具合を目視してから、洗剤をセットした。指で『自動洗濯七分コース』を選ぶ。

ごうんごうんと震えだす洗濯機を後目に、ざっとシャワーを浴びた。ハーフパンツとＴシャツに着替え、こざっぱりとしてキッチンに入った。

母が振りかえる。

「おかえりなさい。おなかすいたでしょ」

「あ、いや。今日はそうでもない。後輩んちでお茶飲んできた」

言いながら、テーブルに目を走らせる。

木製のコースターに、客用のグラスが据わっていた。底に残っているのは麦茶だろうか、それともアイスティーか。

「親父、来てたの？」

なるべく平たい声を出した。

女手ひとつで頑張っている母ではあるが、べつだん夫とは離婚したわけでも死別したわけでもない。ただ、別居中なのだ。そしてその別居が、今年で十三年目にもなる超長期別居だ、というだけである。

振りむかず、母が答える。

「ううん、来たのは渋谷さん。ねえ、キャベツが安かったんで二玉買っちゃったんだけど、あんた回鍋肉《ホイコーロー》と八宝菜どっち食べたい？」

「どっちでもいいよ。でもしいて言うなら回鍋肉」

冷蔵庫から豆板醤《トウバンジャン》を出して、母の手もとに置いた。

渋谷は父の知人だ。たまに来る男だが、葛城はあまり好きではなかった。彼が帰ったあとは、母がいつも微妙にナーヴァスになるのだ。

「ふたり暮らしで二玉いっぺんは無謀だったかしらね。食べきる前に傷んじゃったら、節約どころか無駄になっちゃうわ」

「だいじょうぶだろ、キャベツなんていっぱい使いみちあるじゃん。サラダのほかにもロールキャベツとか餃子とか、お好み焼きとかポトフとか。なんなら山盛り千切りにしてくれりゃ、おれ全部食うよ」

「ありがと。食べざかりがいて助かるわ」

まな板に向かって小気味よい包丁の音をさせはじめた母の背に、葛城はさらに口をひらきかけ――やめた。

悪夢のことなど、言ってもどうしようもない。母にさらなる心配をかけるだけだ。

山江壱がどれほどの助けになるかは未知数だったが、彼がいいやつなのはよく知っている。

ひとまずいまは、彼に頼ってみるしかなかった。

回鍋肉、コールスローサラダ、キャベツの味噌汁に白飯という夕飯を黙々ととりながら、葛城はぼんやりと山江家での記憶を反芻《はんすう》した。

——あの生首は誰なんだろう。

後輩の石川は「あれは首じゃなくボールだ」と言った。だとしたらやっぱり、おれの想像どおりなのだろうか。

男子バスケ部で監督の交代劇があったのは、去年の秋のことだ。

もともと横暴な監督で、部員からはあまり人気がなかった。離婚したとかで私生活が荒れはじめてからは、体罰と暴言がいっそうひどくなった。

平手で殴る、髪を摑んでひっぱる等はあたりまえで、口をひらけば、

「この低能、カス」

「死んじまえ」

「ぶっ殺すぞ、糞《くそ》が」

と罵言《ばげん》の連続だった。男子バスケ部はたいてい屋外コートで練習していたが、雨天で屋内練習ともなると、あまりの罵声に合同練習の他部員たちがぎょっとして振りかえったものだ。

あとから聞いたところによると、バレー部や卓球部の顧問からも、「あの監督はまずいのではないか」という声があがっていたらしい。

だがそれはあくまでも水面下のことだった。葛城たちバスケ部員は、ただ静かに鬱屈を溜めていった。

部員たちのストレスをよそに、監督の暴言はさらにエスカレートしていった。内容は各部員の家庭問題や、性的なことにまで及びはじめた。

葛城ももちろん被害をまぬがれなかった。彼は監督に、名前の代わりに「そこの母子家庭」と呼ばれ、「税金で食わせてもらってるのか」、「毎晩かあちゃんとヤってるんだろう」と怒鳴られた。

「うちは離婚していませんし、母は正社員です」

と反駁すると、「なまいき言うな」と往復ビンタを食らった。口の中が切れ、舌に血の味がひろがった。

だが葛城はまだましな方だった。もっとひどい嘲笑《ちょうしょう》を浴びせられた部員は何人もいた。最悪だったのは、きょうだいが障害者であることをあげつらわれた二年生だ。彼が思わず悔し泣きすると、

「めそめそしやがって、女かおまえは」

と監督はその頬を平手で殴りつけた。翌週からその部員は練習に顔を出さなくなった。

メンバーがひとりやめ、ふたりやめ、さらに三年生がごっそり引退してからは、「閑散」

の二文字がぴったりくるような有様となった。

夏休み直前の、ある日のことだ。

先代キャプテンに代わって背番号四番をもらった釘沼が、

「監督の交代を要求して、活動をボイコットしようと思う」

と部員を集めて発言した。

「今年の三年は秋まで我慢してらんねえって、そうそうに引退しちまった。でもおれはあきらめたくない。インハイの予選までには無理でも、国体かウインターカップまでには万全の状態でいたい。そのためにはあの監督じゃだめだ。おれは学校側に訴えて、要求が通るまで部活をボイコットするつもりだ。反対のやつは帰ってくれ。おれについてきてくれるやつだけ、この場に残ってほしい」

釘沼はすでに両親の賛同を得ているとのことだった。彼の父親がとくに憤激し、無条件のバックアップを約束してくれている、と。

当然のように葛城は残った。

帰ったのはほんの数人だった。九割がたの部員が、釘沼に加担することをその場で決めてしまった。

釘沼の父親を急先鋒とした抗議活動とボイコットは、雪が積もる頃までつづいた。

監督が白旗をあげて辞任したのは、年が明けてすぐのことであった。

何人かの部員が、体罰を受けた際にとっていた診断書が大きな証拠となった。さらに女生徒のひとりから「人気のないところで、何度か体をさわられたことがある」と訴えられた件がとどめとなった。

葛城はけして抗議の先頭に立っていたわけではない。が、一貫してボイコットに積極的ではあった。

――おれは、あのことを後悔してるんだろうか。

ろくに味のしない回鍋肉を奥歯で嚙みくだきながら、葛城は自問自答した。

いまの監督の方が、もちろん数十倍いい。人柄も指導力も段違いだ。あのまま先代の監督をのさばらせていたら、絶対にどこかで部は空中分解していただろう。もしかしたら、今後の存続すらあやうかったかもしれない。

――でも、あの夢。

テレビのニュースはすでに、政治からスポーツにきりかわっていた。

「前半十六分に先制されたアーセナルは同三十分、カソルラの横パスをジルーがダイレクトでシュートし、同点に追いつきます。しかし後半十一分、交代出場したスターリングが左サイドから決め、ふたたび勝ち越しを許……」

母がリモコンに手を伸ばし、さりげなくチャンネルを変える。

だが葛城は気づくことなく黙々と夕飯を噛み、ただ機械的に飲みこみつづけた。


その夜も彼は、夢をみた。

緑ぶかい森に彼は立っている。

空はきれいに晴れているはずだが、鬱蒼と茂る木々に覆われて見えない。陽光の洩れている箇所以外は、むしろ薄暗い。視界にちらちらと散る白い光は、泉からの乱反射だろうか。

確かになにかが匂う。でも、なんなのかがわからない。

白い腕は、今日も彼にささやきかける。

——あなたが落としたのはこれ？

右手は、人間の腕を掴みあげている。

両腕だ。肘が曲がって、だらりと力なくたれさがっている。だがまぎれもなく葛城自身の腕だった。彼にはそれがわかった。

——それとも、これ？

左手が掲げるのは、やはり生首だ。石川晶水はああ言っていたが、彼の目にはやはり男の首に見える。目鼻の凹凸がうっすら陰影になっている。

若くはない。だが老人でもない。おそらく中年の男だ。目をすがめたが、顔は見えなかった。

葛城は一歩さがり、自身の腕と、誰のものともつかぬ生首を見くらべた。

なにかしら答えたら、童話のとおり両方もらえるのではないか。ふいにそんな思いがきざした。彼は口をひらいた。

——腕です。

落としたのは、おれのその両腕です。

期待ははずれた。白い手は彼に両腕をかえしてくれたものの、首はくれなかった。

だが葛城は黙って、うやうやしく両腕を受けとった。いまついている腕を人形のように関節からはずし、代わりにそれを嵌めこんだ。

腕は瞬時にしっくりとなじんだ。気味がわるいほどだった。

途端、なぜかぽっかりと胸に穴があいた。

痛い、と彼は思った。ずきずきと疼くような痛みが、胸から脳天まで駆けあがる。うつろな穴を風が吹きぬけ、笛の音じみた木枯らしを鳴らす。

いつものような悲鳴まじりの目覚めは、今夜の葛城には訪れなかった。

その代わり彼はその寂しげな虎落笛《もがりぶえ》を、朝までひたすらに聞きつづけた。

5

壱と晶水が、「昼休み、北校舎に来てくれ」と葛城からメールで呼びだされたのは、それから二日後のことだ。

北校舎は鐙田東高において、唯一の木造校舎である。かろうじて本校舎とは渡り廊下でつながっているが、いまや立ち入る生徒はほとんどいない。

もとは音楽室や美術室など芸術関係の教室に分かれていたのだが、少子化による生徒の減少で、どの室も本校舎に居を移してしまった。いまは古いピアノや、かさばる教材用の物置、はたまた図書室の閉架としてしか使われていなかった。

葛城の後ろ姿を見た途端、

「カツラ先輩、ざす！」

壱がびしっと腰を折って挨拶した。つられて晶水も、

「っざす！」

と言ってしまうのは、身についた悲しい性《さが》というやつだ。

よそではどうか知らないが、この地域では体育会系部活の〝後輩から先輩への挨拶〟に厳

然たる決まりがある。「おはようございます」及び「ありがとうございます」は「ざす！」、「失礼します」または「さようなら」は「さっす！」となる。

誰が決めたかは知らない。が、すくなくとも三十年以上は維持された伝統であるらしく、いい歳の男がもと先輩にこの挨拶をしているさまを、たまに街中で見かけることがある。

葛城が苦笑した。

「その〝カツラ先輩〟ってやめろよ。なんかおれ、ハゲみたいじゃん」

「でもみんな、そう呼んでるじゃないすか」

「あー……」

葛城は首の後ろを掻いて、

「釘沼《クギ》が、そう呼べって言いだしたんだよな。そっからだよ。それまでは誰も、そんな呼びかたしてなかった」

と、ぽつりと声を落とした。

ふいに彼が、壱の方を向く。

「イチ、おまえ怪我ってしたことあるか」

「そりゃありますよ」

壱が即答した。

「おれ昔からじっとしてらんないガキだったから、木から落ちたり塀から落ちたり、田圃《たんぼ》に落っこったり川で流されかけたり、山で遭難したり遠足で行方不明になったり、そんなんばっかでしたもん。逆に、無傷なときの方がめずらしかったんじゃないかな」

「そっか」

葛城は目に複雑な色をたたえて、

「……もういっこ、訊いていいか」

と言った。

「おまえいま、あっちこっちの部で助っ人やってるよな。でも、ほんとはバスケ一本に絞りたいんじゃねえの。中学時代はずっとバスケ部で、一年次からレギュラーのスター選手だったんだろ」

「え？　うーん」

壱が首をひねって、

「そりゃバスケは好きっすけど、いまは家の手伝いがあるんで」

「でも部活もバイトもやってる高校生なんて、世の中くさるほどいるだろ。おまえなら、やろうと思えば両立できるんじゃねえのか」

「いやあ、それがそうでもないんすよ」

あっけらかんと壱は手を振った。

「正式に入部しちゃうと、やっぱまわりの目も、おれの意識も違ってきちゃうじゃないすか。あれもこれもやって、あっちにもこっちにもいい顔って、そりゃやってできないことないけど、自分含めたどっかに必ず皺寄せはいきますよね。どっかで手ぇ抜いて誰かに尻拭いさせちゃうか、もしくはひとりで背負《しょ》いこみすぎて、おれがつぶれちゃうか、でしょ。そんなのどっちもヤだな、って思っちゃって」

彼の背後では、窓越しに椚《くぬぎ》がさやかに葉を揺らしている。

「八方誰にもメーワクかけないほんとの意味での〝両立〟って、やっぱおれらの歳じゃむずかしいっすよ。だからおれ、欲張らないことにしてるんす」

そう言って壱は〝にかっ〟と擬音のつきそうな満面の笑みを浮かべた。

葛城が吐息まじりに苦笑する。

「——ほんと、大人だかガキだかわかんねぇやつだな、おまえ」

そして、ふっと晶水に首を向ける。

「ごめん、石川」

「は？」

晶水はきょとんとした。葛城が苦しそうな顔で微笑む。

「無神経だったな。おまえの前で、怪我だの故障だのって」

「いえ」

かぶりを振った。

「お気づかいなく」

やっぱり葛城先輩っていい人だな、と応えながらも、そうか、山江は中学時代ずっとバスケ部だったんだ、と晶水は頭の片隅で考えていた。

男子部にはあまり興味がなかったのでチェックもしなかったが、だとしたら過去に何度かニアミスしていたかもしれない。そういえば壱は、中学時代の晶水の試合を何度も観たと言っていた。

「イチ、石川」

硬い声で葛城が言った。

「わるいけど、もういっぺんだけ、おばあさんに〝あれ〟をやってもらえるよう口利きしてもらえないか。どうしてもおれ、気になることがあるんだ」

「いいっすよ」

あっさりと壱が答える。

「ただし二度目からは知人割引がきかないんで、有料になりますけどいいすか」

「ああ、もちろん」

葛城がためらわずにうなずく。その返事に「まいどっ」と、ふたたび壱がにっかり笑った。

二度目の『ゆめみ』は、前回よりさらにスムーズだった。

放課後に山江家を訪れた葛城は、靴を脱いだ五分後には、もう例の寝間で敷布団に身を横たえていた。

落ちる。夢に沈む。

ああ、この匂いだ。葛城は思った。

泉が馥郁《ふくいく》と香る。石川は「いい匂いではない」と言ったが、おれにはふっくらと芳醇《ほうじゅん》な香りだと感じる。

森はしんと静まりかえっていた。風の音も、鳥の声もしない。彼は、ひとり立ちつくす。

これから起こるであろうことを、ただ無言で待ちつづける。

やがて泉から、ぼうと白い影があらわれた。

――あなたが落としたのはこれ？

――それともこれ？

問いかける声に、今日は実体がある。いつものような「腕だけ」ではない。頭があり、肩が、胴があり、二本の足が伸びている。人間らしきかたちを成している。

そして、右手が差しだしているもの。

葛城は目をすがめた。そうだ、あれは両足と腕だ。

あきらかに子供の手足だった。

次いで彼は、左手が差しだすそれに視線を移す。やはり首に見えた。男の生首だ。だがじっと目をこらすうち、「違う」と思った。

――違う。石川の言ったとおりだ、あれは。

あれはボールだ。男子用のバスケットボールより、ややちいさい。ということは女子用か。晶水は「五号か六号」と評していた。確かにそのくらいの大きさに見える。でもだとしたら、なぜ。

葛城は影に数歩近づいた。

相手の顔が見たかった。正体はだいたい見当がついている。それでも、この目で確認したかった。

――あなたが落としたのはこれ？

――それともこれ？

「いいや」

しわがれた声で、葛城は言った。

「おれはなにも落としてなんかいやしない。落としたのは、おれじゃない」

そのとき、さっと眼前に光が射しこんだ。一瞬、視界が眩《くら》む。葛城は思わず顔をしかめた。

まばゆい光は影と葛城の間を分けるように、仄白いシャワーとなって大気に降りそそいだ。

――顔が。

影の顔が照らしだされる。はっきりと見える。

葛城は、愕然と目を見ひらいた。


二度目の『ゆめみ』から覚めた葛城は、千代にうながされて奥座敷へと戻った。

すすめられた座布団に尻をおろし、冷たい麦茶を啜る。グラスを持つ手がわずかに震えているのが、自分でもわかった。

「おれたち、向こう行ってた方がいいすか」

壱の言葉に、葛城はかぶりを振った。

「いや、いいんだ。――いてくれ」

千代を真正面から見据えてから、葛城は畳に手を突き、ゆっくりと頭をさげた。

「ありがとうございます。やっとこれで、いろいろわかりました」

決然とした声だった。千代がふっと微笑む。

「助けになったようで、よかったわ」

葛城は顔をあげ、ためらいながら口をひらいた。

「うちの部——男子バスケ部は、去年ボイコットを起こして、それまでの監督を辞めさせたんです。そのこと自体は間違ってなかったと、いまも思ってます。なにしろひどいやつでしたから。でも」

「でも、なにか後悔してることがあるんやね」

言いよどむ彼に、千代が口添えする。

葛城はうなずいた。

「辞めてもらってよかった。あのとき立ちあがってよかった。それは確かです。でも、その、辞めさせるまでの手段と、過程が——」

「ズルしたんすか」

ずばりと壱が言った。

葛城の顔が、一瞬泣きそうに歪む。しかし彼はぐっと息を飲みこんで、言葉を継いだ。

「……そうだ。おれたちは、不正をしたんだ。監督を辞任させる大きなきっかけとなったのは、まず体罰を証明する診断書だった。ビンタで鼓膜を破られたやつ。尺骨《しゃっこつ》を骨折したやつ。

ボールを目に投げつけられたやつ。倒れたところを蹴られて、肋骨《ろっこつ》にひびが入ったやつもいた」

ひどい、と晶水は眉をひそめた。

葛城の声がつづく。

「でもいちばん学校側に効いたのは、部員ではない女子生徒からの訴えでした。いわゆるセクハラってやつです。監督に暗がりで、ええと、いやらしいことをされたって証言が出てきて、それが決定打になりました」

「まあ」

けがらわしい、と言いたげに千代が顔をしかめる。

葛城がうつむいた。

「でもそれ——たぶん、嘘なんです」

「え？」

「ぜんぶがぜんぶ嘘じゃありません。でも、嘘が混じってるんです」

彼は顔をあげた。

「暴言の訴えはぜんぶほんとうでした。診断書も大半は本物です。でも尺骨を折ったやつだけは、監督にやられたんじゃなくて、バイクの自損事故なんです」

それと、セクハラを訴えた女子は――と葛城が声を低める。

「じつはその女子生徒は、ボイコットの先頭に立ってた釘沼ってやつの彼女です。表向きはその騒動をきっかけに急接近してつきあったってことになってますけど、そうじゃない。ほんとは、夏前からいい感じだったんです。おれは釘沼の口から『B組の女子に告られた』って逐一聞いてましたから確かです。あの子はたぶん、あいつに気に入られたくて、あいつの言いなりにセクハラを偽証したんだと思う」

「でも、証拠はないんでしょう」

千代が言う。

葛城は唇を嚙んだ。

「ない……ですね。でっちあげだったという証拠はなにもない。でもおれは、知ってるんです。監督を辞めさせたいがために、おれたちはあせってた。その結果、おれたちは嘘つきになってしまったんだ」

ずっと葛城は、その事実から目をそむけていた。

意識に蓋をし、目を閉ざし耳をふさいで、「なにも見えない、気づかない」で通していた。

――金の斧、銀の斧。

問う泉。正直者の木こり。

──正直であれかし、と深層心理が急かしていたのか。

千代が静かに言う。

「人間いうんは都合のいいもんで、自分の見たいものしか目に入れへんのよ。だから無意識のジレンマで、心にフラストレーションが溜まっていくこともある。たいていのことなら、夢がうまいこと意識と無意識のバランスをとってくれるんやけどね。でも負荷が大きすぎると、コップのふちから水があふれるみたいに、処理しきれなかった夢が現実に滲みだしてくるの」

「むずかしい、お話ですね」

葛城はまぶたを伏せ、

「でも、わかる気がします」

と言った。そして、ちらりと横の晶水を見やる。

「なあ。石川んちの親父って、酒飲まない人だろ」

唐突な台詞だった。

晶水はとまどいながら「え、あ、はい」とうなずいた。

「だから〝嗅ぎなれない匂い〟だったんだな。石川がおれの夢で嗅いだっていう匂いの正体、さっきようやくわかったよ」

葛城は笑い、

「おれの中には、もうひとつわだかまってたことがあったんだ。監督の件より、もっとずっと長いこともてあましてたやつ。あんまりにも長い間胸の中にあったんで、もうそこにあんのがあたりまえみたいになってたんだけど——たぶん今回のことで、刺激されちゃったんだろうな」

と、眉をさげて言った。

6

失礼します、と戸口で頭をさげ、葛城は教育指導室を出た。

廊下はひどく蒸し暑かった。コンクリートの壁は断熱性が低いため、夏はむっとするほど暑く、冬は監獄並みに冷える。

あけはなされた窓から吹きこむ風だけが、額や首すじの汗をわずかに冷やしてくれた。ただしこれは暑さによる汗ではない。緊張の冷や汗であった。

角を曲がったところで、葛城は足を止めた。

「イチ」

壁に背をつけて、山江壱が廊下にしゃがみこんでいる。どうやら彼を待っていてくれたらしい。ふっと葛城は目もとをゆるめた。

「たったいま、神田に全部ぶっちゃけてきたよ」

神田とは、生活指導を受け持っている教師の名だ。

ごま塩頭で強面《こわもて》のベテランで、生徒からはひとしく敬遠されている。体がごつく、地声も大きく、十代の少年少女を震えあがらせるために生まれてきたような風貌の男であった。

「すっげえびびったよ。足、がくがくだった。でもそれ以上に、すげえさっぱりした。もっと早くこうしときゃよかったな」

「釘沼先輩とは話したんすか」

「ああ、昨日会った」

葛城はうなずいた。

部活が終わってから屋外コートのフェンス裏へ呼びだした釘沼へ、

「おれ、あのこと先生たちに言うわ」

ずばりと葛城は告げた。

かすかに釘沼の頬が引き攣るのがわかった。

「あのことって、なんだよ」

「とぼけんな」

口調を荒げかけ、慌てて葛城は声を落とした。

「……相手がいやなやつだからって、こっちまで卑怯《ひきょう》な手段とっていいわけじゃねえだろ。それじゃ、向こうと同レベルに落ちるだけじゃんか」

「はあ？　おまえこそ、とぼけてんじゃねえぞ」

釘沼の声が険しくなる。

彼が一歩距離を詰めた、と思ったそのときには、すでに胸倉を掴まれていた。

「おまえの自己満足に、ほかの部員を巻きこむなよな。そんなもん、ただおまえが楽になりたいだけだろうが。勝手なことしてんじゃねえよ。いまさらいい子ちゃんぶりやがって、この偽善者が」

頬に釘沼の息がかかる。

燻《くすぶ》るような怒気がはっきりと嗅ぎとれた。怒りと、そして苛立ちと悲しみの匂い。裏切り者へ向ける匂いだ。

「ごめん、釘沼《クギ》」

葛城は顔をそむけた。

「おまえの名前は出さないよ。ぜんぶおれの考えだったってことにしとく。だからおまえは、いつもどおりしれっとしてろ」

それだけ言い捨てて、葛城は彼の手を振りはらうと、足早にその場を去った。

神田の携帯番号に連絡を入れたのは、帰宅してからだ。番号は保護者に配られる『緊急連絡網』を見て調べた。

電話口に出た神田に、彼は言った。どうしても話したいことがあるので、明日時間をとってもらえませんか——と。

そして、いまに至るというわけだ。

葛城が苦笑した。

「馬鹿なことしたかな、おれ」

「さあ。おれアタマわるいから、よくわかんないす」

壱は肩をすくめてから、

「でも不正が我慢できないなんて、スポーツマンっぽくていいじゃないすか」

と、にっと笑った。

「そっか」

つられたように、葛城もつい笑顔になる。

中庭の茉莉花《まつりか》が、風にのってふいにきつく香る。

葛城は右腕をあげた。

「んじゃもう一発、がんばってスポーツマンしてくるとすっか。……大事なのが、まだひとつ残ってんだ」


駅前のドトールは混んでいた。

土曜の昼どきだけあって、学生、社会人、バイト帰りらしきフリーターと、雑多な人種でごったがえしている。だがこの店を選んだのはわざとだった。隣の客や店員に話が聞こえるような、静かな店はなんとなくいやだったのである。

「親父、こっちこっち」

手をあげて、入ってきた父親を葛城は窓際のストゥールから呼んだ。

父は目顔でうなずくと、アイスコーヒーのMを片手に、息子のすぐ横に腰をおろした。

「ごめん、いきなり呼びだして」

「いやいいんだ。それよりなんだ、話って」

葛城は視線を落とした。

「じつはおれ――最近へんな夢をよくみてさ」

「眠れないのか」

なにか悩みでもあるのか、と父がむずかしい顔になる。

なだめるように葛城は微笑んで、

「それもあるんだけど、全体におかしな話なんだ。だから親父、わるいけど十分だけ黙って聞いてもらってもいいかな」

と言った。いぶかしげな顔つきながらも、父が首を縦にするのを確認して、葛城は口をひらいた。

駅に流れていく人波を眺めながら、Mサイズのコーヒーを握りしめて彼は語った。監督の暴言と体罰のこと。それによって起こった抗議活動のこと。悪夢のこと。後輩を頼って訪れた、あの不思議な店のこと。

——そこで、わかったこと。

「その夢ん中でさ、おれ、親父になってるんだ」

嚙みしめるように彼は告げた。

泉が発する、あの匂いでようやくわかった。あれはアルコールの香りだ。なのに夢の中で彼は「ごくごく飲める水」、そして「いい香り」だと認識していた。渇いている。あれが飲みたい、と。

「おとうさん」

葛城は父に向きなおった。この呼称を使うのはひさしぶりだ。何年ぶりだろう。

「おれ、昔なにがあったか知ってるよ」

父の肩が、目に見えてこわばった。

だが葛城は言葉を継いだ。

「なにもかもぜんぶ、ではないだろうけど——なにがあったかは、たぶんずっと前からおおよそわかってた」

そう、やんわりと微笑した。

子供の頃、葛城が右腕と両脚を骨折した事故。あれを境に両親の仲はぎくしゃくしはじめた。あの頃いつも、家の中にただよっていた饐《す》えた匂い。父をなじる母の泣き声。いつの間にか、家の中から消えたユニフォームとボール。

父は十年以上前、サッカーの社会人チームに所属していた。

一時はJリーグ昇進にもっとも近いチームとまで言われたらしい。しかしここ一番での勝負強さに欠けていた。地域内の人気は高かったが、たび重なる「いざというときのふがいなさ」で、いつしか応援団からもブーイングがあがるようになっていた。

スタメンで点取り屋だったはずの父はいつしか酒量が増え、仕事を休んで昼からでも飲むようになった。当然のことながらプレイは荒れ、彼は二軍落ちした。

酒量はさらにあがった。

夫婦喧嘩はほぼ毎晩になった。

「聞いて。あなたは依存症になりかけてる。頼むから、子供のためにも病院に行ってちょうだい」

と母は言い、

「おおげさなこと言うな」

と父は一蹴《いっしゅう》しつづけた。

そして、事件は起こった。

その日は土曜日だった。どうしてもはずせない突発的な仕事が入り、母は休日出勤となったのだ。慌てて有料の保育園へ電話を入れ、

「九時に予約したから、ちゃんとそれまでに連れて行ってね」

と、彼女は何度も念押しして家を出た。

だが父は、息子を保育園へは連れて行かなかった。

自分だけで面倒くらいみられる、という過信があった。そんなにおれが信用できないのか、という妻への苛立ちもあった。だがなにより、妻がいなくなって朝から好きなだけ飲めるという誘惑に、彼は打ち勝つことができなかった。

父は朝の九時から飲みはじめ、正午にはすでにへべれけだった。

腹をすかした三歳の息子は母を探して外へ出た。そして赤信号の横断歩道に飛びだし、移動中の軽トラックにはねられた。

病院で夫妻は、

「息子さんは右腕と両脚を骨折。かつ頭を強く打って昏睡《こんすい》状態にあります」

との無情な宣告を受けた。


「――願掛けしたらしいじゃん、おとうさん」

ドトールの窓際で、すっかり大きくなった葛城が笑う。

父は愕然とした顔で言った。

「なんでおまえ、知ってるんだ」

「渋谷さんがうちに来て、そんなようなこと言ってたからさ」

母と葛城だけの家になっても、足しげく通っては母を悩ませていた、あの渋谷。彼は当時チームの応援団長であり、父の高校時代の同級生でもあった。

夫婦の復縁を望む彼の声はしばしば高く大きくなり、別の部屋にいる葛城少年の耳にも届いた。

意識せずともその情報のピースは、葛城の中で着実に組みあわさって、やがてかたちを成していった。父の問題。夫婦の亀裂。そして事故。

――おれのいちばん大事なものを捧《ささ》げます。もう二度とボールに触れません。だから息子を助けてください。

そう、父親は願掛けをしたのだ。

祈りが届いたのか、葛城は回復した。骨折による成長の阻害もさいわいまぬがれた。

だが願掛けどおり、父はボールに触れることができなくなった。純粋に精神的なものであった。プレイどころか、手で持っただけで吐き気や頭痛にみまわれるようになった。

息子が全快しようとしまいと、父の深層意識は自分を許さなかったのだ。

そして妻も同様に彼を許さなかった。

翌年、彼らは別居した。

意識下ではずっと葛城は気づいていた。いや、知っていた。

テレビのスポーツニュースすら拒否する、サッカー嫌いの母。折にふれて訪れる渋谷。父にまつわる空気。たたずまい。いかに母が必死にシャットアウトしようとも、自然に入ってきてしまう噂のかけら。

「渋谷さんは、うちの家庭崩壊を自分のせいだとでも思ってんのかなあ。いまでも、やたらとしつこいよね」

　との葛城の言葉に、

「——あいつとおれと、かあさんとで同級生だったんだよ」

　ぽつりと父が言った。

「もともとはあいつとかあさんが仲良くて、おれが『仲をとりもってくれ』って頼んだんだ。だから、あいつなりにきっと責任感じてるんだろうな」

「へえ」

　初耳だった。

　そういえば『金の斧、銀の斧』の絵本を買ってくれたのも、確か渋谷だ。葛城少年はやっとひらがなが読めるようになったばかりだった。その彼の横で、

「そうだよな。落としたものでも……自分の心がけによっちゃ、また取りもどせるんだよな」

　と渋谷はつぶやいたのだ。母はそれを聞いて激昂《げっこう》し、

「なに言ってるの。他人事だからって無責任なこと言わないで」

　と、泣きながら絵本を破り捨ててしまった。

　その母の剣幕は、長いこと葛城のトラウマとなった。以来、彼は渋谷のことがあまり好き

ではなくなった。『金の斧、銀の斧』の絵本も、記憶の奥底へ押しこまれてしまった。

葛城は苦笑した。

「……おれさあ、バスケ部の監督が辞めてくれたとき、ほっとしたんだ。でも同時に、すげえ怖かった。証拠のでっちあげがもしばれたらどうなるんだろう。ここまで大ごとにしたんだから、ひょっとして廃部もありえるんじゃないか、って。そしたらもうバスケできなくなるんだって思ったら、体の芯まで冷たくなった。だっておれたちみたいな一介の高校生は、部活でしかちゃんとバスケやる道ないじゃんか。だから怖かった。そのときはじめて、ものすごく怖くなったんだ」

そしてその恐怖は、心の奥深くにある遠い記憶を揺り動かした。

――ああ、おとうさんもこんな思いをしたんだ。

でもおれのために、父はサッカーをやめざるを得なかった。おれと同じくらい、いや、おれ以上にあのスポーツを愛していただろうに。

サッカーボールは直径二十二センチで五号。女子用バスケットボールは、直径二十三・二センチで六号だ。つまり「五号か六号のボール」とみなした石川晶水の眼力は、まさに正しかったことになる。

サッカーか、もしくは息子の手足か。父は後者を選んだ。

もちろん父に落ち度はあった。酒に溺れ、家庭をかえりみず、不注意で息子に大怪我を負わせた。

だが葛城は、父を許したいと思った。母はきっと、終生夫を許すまい。だからおれだけでも、せめて父を許してやりたいと。

夢の中で、泉から問うていたあの影の顔。あれは、葛城自身の顔をしていた。

飲みかけのコーヒーを手に、葛城はストゥールから腰を浮かせた。

「出ようぜ、親父」

「もういいのか」

「うん」

肩掛けのバッグを揺すり、ファスナーをひらいて見せた。父が目をまるくする。

バッグには、真新しいサッカーボールが入っていた。

「公園で、十四年ぶりに対面パスしよう」

晴れやかに葛城は笑った。

「──証明してやるよ。もう親父がサッカーしても、おれが死なないってことをさ」

頭上にひろがるのは、夏特有の真っ青な空だ。スプレーで盛りあげたホイップクリームのような雲は、早い風に刻一刻とかたちを変えていく。

晶水と壱は、北校舎の廊下で待ちあわせていた。壱は猫のように窓枠にのってしゃがみこみ、晶水はその横で壁にもたれている。

口の中で飴を転がしながら、壱が言った。

「カツラ先輩の告発、神田から教頭と校長にも話がいったらしいよ」

「ふうん」

晶水は雲を眺めて、低く相槌をうった。

右手に提げたバッグが揺れ、かるく膝にあたる。

「でも先輩はちょっと口頭注意されただけで、とくにお咎《とが》めなし。モラハラ監督が復帰することもなし。バスケ部の今後の活動に、制限がかかるようなこともなし。逆に『おまえらがそこまで追いつめられるほど、野ばなしにしてわるかった』って謝罪されたってさ」

壱は肩をすくめた。

「ただ先輩の両親に関しては、進展はなんもないって。むしろ、きれいさっぱり離婚する方向に動いてるっぽい」

「そっか」

晶水が苦笑する。

「ま、そうそうなんでもうまくはいかないよね」

「そういうこと」

チャイムが鳴り響いた。四限の授業開始を知らせる鐘だ。「んじゃおれ、行くね」壱が窓枠からするりと飛びおりる。

すこしためらってから、晶水はその背に声をかけた。

「ちょっと、山江」

「ん？」

壱が振りかえった。


「あれ、なんでイチ弁当あんの」

A組の教室にて、昼休みになるやいなや拓実が首をかしげた。いそいそと弁当の包みをとく壱に、崇史も怪訝そうに眉根を寄せる。

「ほんとだ。おまえ一限目のあとすぐ食ってたじゃん。手品か？　いつ吐いた」

勢いよく壱が首を振る。

「違う違う、これはな、愛！」

「犀《さい》？」

「違うって、愛！　愛の結晶《ケッショー》！」

「おまえ、意味わかって言ってっか？」

「わかってんよ、シツレーな」

むっと壱が口をとがらせる。

「これはさ、石川がさっきくれたの。『どうせまた今日も早弁したんでしょ。またこないだみたいにみんなから〝ちょっとちょうだい〟なんて目の前でやられたら、みっともないからこれ食べれば』って」

「へええ」と拓実。

「由緒正しいツンデレだな、石川」と崇史。

「そんでね、おれが『いいの？』って訊いたら、『べつに。どうせ半分は父親の弁当の残りで、もう半分はわたしのぶんの残りだもん。ついでに詰めただけだから、いいも悪いもないんじゃない』だって！」

「うわ」

のけぞるようにして、拓実がくっくっと喉で笑った。

「石川、かわいいな。微笑ましい」

「そうか？」

仏頂面で崇史が言う。

「おれはいま、すげーメシがまずいぞ。購買で勝ちとったせっかくのカレーコロッケパンが、急に味しなくなった」

苦虫を嚙みつぶしきったような顔でぼやく崇史に、拓実と壱がにやにやする。

「やっかんじゃって」

「そーだそーだ。いくらおれと石川がお似合いのナイスカップルだからって、男の嫉妬はみっともねーぞ」

「うるせえよ。おまえらふたりとも、次のテスト直前に風邪ひけ。腹くだせ。親知らず腫《は》れて泣け」

風が吹きこんで、日焼けしたカーテンを大きくふくらませる。音楽室から、わずかに調子っぱずれの『オンブラ・マイ・フ』が響いてくる。

季節はもうじき、夏休みだった。

第四話　理性の眠りは怪物を生む

1

「子供の頃ってさ、いま思うとわけわかんないものが怖かったよね」

出汁巻きたまごの最後のひとくちを口に放りこんで、そう美舟が言った。

「たとえば？」

と晶水は先をうながす。両手は食べ終えたばかりの弁当箱を、大ぶりのハンカチで包みながらである。

美舟が首をかしげた。

「えーとね、たとえばあたしは小学校低学年まで、海が怖かったの。体のそばで波が動くのがいやだったのと、沖に行くにつれて深くなるのが苦手でさ、だからプールでないと泳げなかったな。いま考えると、なにがそんなに怖かったのかよくわかんないんだけど」

「わかる。わたしも子供の頃、あんまり海に入りたくなかった」

と、人参を刺したフォーク片手に雛乃がうなずく。

「へえ、ヒナもそう？」

「うん。わたしの場合はね、ほら、海だと真水より体がよけいに浮くでしょ。あの感じがどうしても慣れなくて」

　雛乃は最近、ずいぶんとふたりに馴染んできた。呼び名もはじめのうちは「石川さん、涌井さん」だったのが、いまは「アキちゃん、トシちゃん」になっている。態度も表情も明るくなり、例のグループにひそひそ笑われることもめっきり減った。

「で、アキはどうよ」

　と美舟が水を向けてくる。

　晶水はちょっと考えこんで、

「おばあちゃんちの、天井の木目模様が怖かったかな。あと綿埃《わたぼこり》が嫌いだった」

「綿埃？　なんで」

「何回掃除しても、またいつのまにかできてるでしょ。それが生きものみたいで気持ちわるかったの」

「うーん、わかるようなわかんないような」

　アキの感性ってときどきへんだよね、との美舟の言葉に「そうかな」と晶水が首をかしげていると、

「あ、そういえばわたしね、モナリザの絵も怖かった」

　と、早口で雛乃が話題を変えた。

「ああ、それはすごいわかる」

「あたし、いまでもあんま好きじゃない」

晶水と美舟が口を揃えてうなずく。雛乃がほっとしたように、

「それとね、この絵」

バッグからタブレットを取りだして、ちょいちょいと画面をタップした。

「この絵が、昔すっごく怖かったんだ」

表示された画像を、晶水は覗きこんだ。

男が机にもたれ、顔を伏せている。おそらくうたたねしているのだろう。その男の頭上や背後から、黒い影が無数に湧きあがり、覆いかぶさっていた。蝙蝠《こうもり》。梟《ふくろう》。みみずく。猫科とおぼしき得体の知れない獣。それらがすべて人間そっくりの眼をして、男にまとわりつき、禍々《まがまが》しい視線を降りそそいでいる。

モノクロで描かれた、なんとも陰気な筆致の絵であった。

「なに、これ？」

晶水の問いに、

「ゴヤの『理性の眠りは怪物を生む』ってタイトルの絵」

すらりと雛乃は答えた。

「気味のわるい絵でしょ？　わたし、はじめてこの絵を見たとき、しばらくの間ひとりで寝れなくなっちゃったんだ。だから頭から消えるまで、ずっと姉といっしょに寝てもらってたの。眠ったら自分のまわりにも、こんなものがうわっと群がってくる気がして」

「うん、確かに不気味。……だけどヒナ、子供時代にこんな絵、どこで見たのよ」

「たまたまうちに画集があって」

　との美舟と雛乃の会話を片耳で聞きながら、

　――理性の眠りは怪物を生む、か。

　たったいま耳にした言葉を、晶水は胸の内でいま一度反芻《はんすう》した。

　そうかもしれない、と思う。理性という名の自制心と抑圧と理知とに蓋をすれば、誰しもがきっと、奥底でときはなたれるなにかを持っている。

　それは往々にして、美しいものではないだろう。なまなましく、プリミティヴに混沌《こんとん》として、まさに怪物的であるだろう。

　そしてその怪物が跋扈《ばっこ》する世界とは――きっと〝悪夢〟に違いない。

「ごめんなさい、アキちゃん。じつはお願いがあるの」

　千代にそう頭をさげられたのは、夏休みに入って二週目の、ある猛暑日のことであった。

あけはなされた窓からは、けたたましい蟬《せみ》の鳴き声が響きわたっていた。このあたりは背の高い木々が多く、天然のグリーンカーテンとなっているのはありがたいが、この蟬のうるささにはさすがに閉口する。

だが山江家の人びとは慣れきって、もはや音とも感じていないらしい。

「すごい声ですね」と晶水が言っても、

「え、なにが？」

と千代も壱も、怪訝な顔をしたのみであった。

ともかくそんな山江家に、晶水はその日「ソファにできたケチャップの染み抜き」を教わるべく訪れていた。

数日前に父の乙彦が夕飯のオムライスを食べこぼし、しかもその染みを「娘に叱られるのがいや」という理由で、姑息《こそく》にもクッションで隠しつづけていたのである。

染みなんてその場ですぐ言ってくれれば傷は浅いのに、と内心で愚痴りつつ、その晩晶水は千代にしぶしぶ訴えた。

電話を受けた彼女は、

「ちょうどよかった。そろそろイチに肉食べさせんと泣かれると思って、特売の合挽《あいびき》肉を二キロも買ってしまったとこなのよ。ハンバーグのたねにするから、いるだけ持ってってちょうだい。染み抜きも、そのとき教えるわね」

とにこやかに応じてくれた。

そして翌日に山江家を訪れた晶水が、冒頭の台詞を聞くに至った――というわけである。

「お願い？……なんですか」

慎重にそう答えながらも、晶水は「おそらく自分はこのお願いを聞いてしまうだろうな」という予感をひしひしと背に感じていた。

なにしろ秘伝の染み抜き法を三十分もかけて伝授された上、あとは焼けばいいだけに成形されたハンバーグのたねを、六百グラムももらってしまったあとだ。

おまけに晶水は、なぜだか本能的に千代に弱いときている。断れる要素がなかった。

だが千代が答える前に、

「たっだいまぁ」

と玄関から底抜けに明るい声が響いた。

近隣の老夫婦から依頼された「畑の草むしりと水やり」のアルバイトから、どうやら孫息子が帰ってきたらしい。どたどたと廊下を走る足音がして、

「石川、来てんの？」

ひょこんと壱が障子の陰から顔を出す。

「……なんでわかったの」

「玄関に靴あったもん」

あちーあちー、と手で顔を扇《あお》ぎながら入ってくる彼は、顔も手足もすでに日焼けで真っ黒だ。

「喉渇いたあ」

晶水の横に転がりこむように座ると、

「三宅さんちの麦茶、砂糖と鰹節《かつおぶし》入ってんだもんな。出してもらって残すわけいかないから
ぜんぶ飲んだけど、あれじゃやっぱ麦茶飲んだ気がしねーや。明日から、水筒持っていこっ
と」

と盛大にぼやく。

思わず晶水は口をひらいた。

「鰹節はともかく、こっちじゃ砂糖入れる家ってめずらしくないよ」

「え、そうなの？」

「うちは入れないけどね。でもおじいちゃんおばあちゃんがいる家では、そういうとこ多い
みたい」

「へええ、文化《ブンカ》の違いってやつかな」

と、あいかわらず微妙なイントネーションで壱が言う。

千代の関西訛りといい、以前聞いた「あちこち渡り歩いたせいで、料理も言葉も、微妙にあちこちのもんが混ざってる」の発言といい、山江家の人びとが本来こちらの土地にかかわりが薄い、いわゆるアウトサイダーであるのは確かなようだ。

だが晶水がその考えを突きつめる前に、

「それじゃあイチもちょうど帰ってきたことだし、一服しながらさっきの話のつづきをしましょうか。アキちゃんのお茶も、新しいのに替えましょうね」

と千代はグラスを持って、さっさと席を立ってしまった。

その背中に壱が声をかける。

「ばあちゃん、今晩のメシなあにー」

「ハンバーグよ。アキちゃんちといっしょ」

「うわ、やった！　ハンバーグ超ひさびさ！」

ガッツポーズまでして喜んでいる。ほんと〝大人だか子供だかわかんない〟やつだなあ、と晶水は心中でつぶやいた。

ちなみに同じハンバーグでも千代のぶんは紫蘇《しそ》と大根おろしをつけて和風に、壱のぶんにはチーズとトマトソースをかけてこってりにするのだという。歳の差が六十もあると、献立ひとつにもいちいち工夫が必要らしい。ま、うちの父はそこまでしなくていいから楽な方だよね——と、晶水は胸中で自分に言い聞かせた。

「アキちゃん、そういえばお中元でいただいた蜜豆と水羊羹《みずようかん》があるのよ。よかったらこれも持っていって」

台所から千代の声がする。壱が慌てたように、

「えー、水羊羹はおれが食うって」

と立ちあがり、祖母を追って駆けこんでいく。そして、しばし間があいた。なにごとか、祖母と孫とで話しこんでいる気配がする。

千代が新たな麦茶のグラスと、竹筒入りの水羊羹を盆にのせて戻ってきたのは、それから十五分ほどあとのことであった。


「というわけでね、県内なんやけど、あちらはすこし遠いところにお住まいなの」

と千代が言った。

その〝あちら〟とは、どうやら千代の依頼主のことであるらしい。つまり彼女の『ゆめみ』の力を頼っている輩《やから》ということだ。

「お話を持ちこまれたときは、わたしも〝遠いのでは、いまはちょっと〟と断ったのよ。で

もあちらは新幹線の切符を手配しますから身ひとつで、と頑強に言わはるの。そうは言われてもわたしは亭主が入院中だし、すぐ戻れない距離に行くのはやっぱり気持ち的に、ねえ」

「待ってください」

急いで晶水は千代の長広舌をさえぎった。

「あの、それで山江が代わりに行くのまではわかります。わかりますけど、なんでわたしまで」

「だってイチだけだと、不安なんですもの」

すぐ横で膝を抱え、起きあがりこぼしのように体を揺らしている孫息子を、彼女はちらりと見やった。

「このとおり高校生になっても、いつまでもお猿みたいな子でねえ。昔から通知表に『落ちつきのない子』、『人の話が聞けない子』て書かれてましたけど、まさか十五を過ぎてもそのまんまとは」

いかにも情けなさそうに嘆息し、

「でも泊まりがけとなるとね、ほら、アキちゃんも予定があるでしょうから」

「泊まりがけ？」

思わず晶水は麦茶を噴きだしかけた。

「――で、山江と？」

「なんでそんな顔すんの、石川」

壱が首をかしげた。

「まさか、いっしょの部屋と布団だったら困っちゃうとか思ってる？」

「思うわけあるか！」

反射的に怒鳴りつけてしまってから、ああしまった、彼の実祖母の前だったと反省する。

しかし千代は泰然としたもので、

「ごめんねアキちゃん。ほんとにこの子、お調子者で」

とさらりと流して、「で、さっきのつづきだけど」と強引に話をねじ戻した。

「御役をするのはイチだけやから、アキちゃんは観光気分で付き添ってくれるだけでいいのよ。ただこの子がさぼったり、いいかげんなことをしないよう、お目付け役として付いててほしいの」

「はあ」

ひとまず晶水は相槌を打った。

千代が微笑する。

「あちらは古くからある地元の名家で、まあいわゆる〝大庄屋さん〟ですわね。ごちそうも出るでしょうし、アキちゃんはただ広いお屋敷で二、三日ゆったり過ごしてくればいいのよ」

ほんとうに、そんな簡単な話だろうか。

はなはだ疑問ではあったが、この千代の絵に描いたような内柔外剛さ、つまり「表面だけはゆったりやんわり、しかしその実、がっちり強硬に押しすすめてくる」やり口に、十代なかばの小娘がさからえるはずもなかった。

気がつくと晶水は、

「まあ……金曜の午後から出発で、月曜の朝までに帰ってこられるなら……」

と答えてしまっていた。

学生である晶水と壱は夏休みだ。しかし父の乙彦は、盆まではしっかり通常出勤である。そして平日朝ともなれば恒例の〝出社前の儀式〟がある。

是が非でもそれまでには戻ってこなければならなかった。娘がいないせいで出社できませんでした、なんてことになったら、社でも近所でもいい笑いものだ。

とはいえあの父も、母の死後は彼なりに「自立しよう、しなければ」という意識があるらしい。休日にはなるべく娘の手を借りず、身の回りのことはひとりでやろうという努力が言動の端ばしに身受けられる。

つい先日などは、

「おとうさんのことは気にせず、友達と遊びに行っていいんだからな」

「せっかくの夏休みなんだ。高校生らしく、海とか山とか行ってきなさい」

などと言われて仰天した。

べつにふつうの台詞じゃないか、と言われるかもしれない。が、これはかつての乙彦を知る者が聞いたなら、目を剝くレベルの進歩なのだ。

現に乙彦の実姉である伯母などは、自分で簞笥から靴下を出して穿く弟を見て、

「あの子を立派な大人にしてくれて、アキちゃんも天国のミナちゃんも、ほんとうにありがとう」

とその場で泣きだしてしまったほどである。

——でもいちおう、おとうさんの世話、トシん家《ち》のおじさんおばさんにお願いしておかなくちゃなあ。

内心でつぶやいて、晶水はちいさく吐息をついた。

2

新幹線は、ダイヤの乱れもなく無事に出発した。

わざわざ切符を送りつけてきただけあって、座席は二階のグリーン車だった。夏休みの真っただ中だというのに空《す》いていて静かだ。泣きわめく子供も、携帯電話片手にがなるビジネスマンも見あたらない。

ただひとり、

「ねえねえ石川、お菓子なに食う？　石川ってば」

と、やかましいのは山江壱のみであった。

「おれさー、旅行すんのすごいひさしぶりなんだ。楽しみすぎて、すげえいっぱいおやつ買ってきちゃった。見る？　うまい棒とじゃがりことー、あ、きのこの山とたけのこの里、どっちが好き？」

「山江、うるさい」

猿みたいに騒ぐな、と耳もとで「めっ」と叱りつける。咎められると壱はいったんしゅんとなるのだが、五分もするとまた復活してはしゃぎだす。

そわそわと肩を動かし、足を揺すり、かたときもじっとしていられないらしい。これは通知表に「落ちつけ」と苦言を書いた担任が絶対的に正しかったな、と、晶水は目を閉じて眉間を揉んだ。

「おれ、駅弁も食いたいなー。車内販売のおねえさんって来ないの？」

「だから、三十分もしないで着くんだってば」

駅弁なんて食べるほどの距離じゃないの！　と、伸びあがろうとする頭を手で押さえつける。ちぇー、と口をとがらして、壱は座席におとなしく身をおさめた。

さいわい目的地には、いともすんなりと着いた。

自動改札をくぐり抜けた途端、名産品の幟《のぼり》が通路の左右にずらりと立ち並ぶ。『へぎそば』、『米菓』、『発酵バター』等々の看板に目移りしながら歩く壱を「こらっ」と急きたてつつ歩く。

ふと、黒い影がふたりの行く手をさえぎった。

「あのう、――山江さまでいらっしゃいますか？」

「え、あ、はい」

思わず棒立ちで晶水はうなずいた。

目の前に立っているのは長身の中年男だった。ぴしっとした濃色のスーツ姿で、白い手袋をはめている。

「このたびは遠方までありがとうございます。わたくし、大美濃《おおみの》の当主から申しつかってお迎えにあがりました者です。あちらに車をご用意しておりますので、どうぞ」

大美濃、とは確かに千代から聞かされていた姓である。

「こ、こちらこそどうも」

気圧されつつ、晶水は頭をさげかえした。

彼に先導され、裏手の駐車場へ向かう。駐《と》まっていたのは黒光りするCクラスのベンツであった。いわゆる「小まわりのきくベンツ」というやつだ。

彼がその車を選んだ理由は、三十分ほどしてわかった。駅前通りをはずれて国道に出、しばらく走って住宅街へ折れる。そこからは進むにつれ、道が次第にはっきりと細くなっていった。

ついには対向車と、とうていすれ違えないほどの道幅となった。が、なぜか一方通行の標識は立っていない。ハンドルを握る男が、平たい声で言った。

「ここは城下町でして、いまでも城跡の近くは道が入りくんでいて細いんです。敵に容易に攻めこまれないように、という工夫ですね」

「はあ」

あいまいに晶水は相槌を打った。

壱はといえばシートに身を沈めて、早くもうとうとと舟を漕いでいる。大人物だなこいつ、と晶水はなかば感心、なかば呆れてその寝顔を見おろした。

ふいに、視界の横を白い土塀がふさいだ。

なんの気なしに眺めていたが、塀は延々とつづき、いっこうに途切れる様子をみせない。十秒ほど経って、ようやく晶水は「ああ、これは一軒の家なんだ」と気づいた。いや、ここは〝お屋敷〟と表現するべきだろうか。

ふつうの土塀とは違って、模様があるのが特徴的だ。土台のあたりは石垣になっており、天辺には飾り瓦をいただいている。

晶水がもの珍しそうに眺めていると、

「あれは瓦土塀と言います。耐久性のため、土と瓦を交互に重ねて塗りあげるのですが、職人によってはこうして模様をつくり、見た目にも美しく仕上げたようですね」

「ははあ」

もはや、うなずくしかなかった。

車はやがて、塀の切れ目にたどりついた。門扉はすでにあいていた。短い石橋を渡り、車ごと敷地へ入る。

「わー、でっかい家」

目を覚ました壱が声をあげた。

いやいや、でっかいなんてものじゃないだろう、と晶水は内心で冷や汗をかいた。

目の前にはまさしく「大庄屋さま」と呼びたくなるような、だだっ広い木造の平屋がそびえていた。どうやらこれが大美濃家の母屋らしい。

豪奢《ごうしゃ》な庭には寄棟造《よせむねづくり》の四阿《あずまや》が建っている。その背後に覗く白い海鼠塀《なまこべい》は、おそらく土蔵だろう。蔵の扉にはくすんだ金いろで、大きく家紋が浮きあがっていた。

別世界だ、と晶水は思った。

コンビニエンスストアやレンタルショップが建ち並び、有線のヒットチャートが鳴り響く猥雑《わいざつ》な外界とはまるでかけ離れている。俗世と隔絶された、空間をぽっかりと切りとったような異世界がいま眼前にひらけていた。

だがカルチャーショックは、それだけでは終わらなかった。

「遠いところを、お呼びだてしてしまってごめんなさいね」

そう言って笑顔で迎えてくれた女主人は、その非現実的な屋敷にしっくりと馴染んだ女性であった。

「大美濃志寿《しず》と申します。おばあさまの千代さんには三十年ほど前に、祖母と母とがお世話になりました」

黒に近い濃紺の紗紬《しゃつむぎ》を着こなして、衿から伸びたうなじがすんなりと白い。

千代とはまた違った意味で、浮世離れしたひとだ。物腰といい立居ふるまいといい、衣装人形の姫君がそのまま生きて動いているかのようだった。

「こちら、娘の若菜です」

と志寿が紹介した少女の姿に、ようやく晶水は内心ほっとした。

母とは対照的に、彼女はロゴ入りのTシャツにジーンズというシンプルな格好だった。壱と晶水を交互に見て「こんにちは」とにっこり笑う。

ふたりとまるで変わるところのない、ふつうの可愛らしい十代の少女だ。小柄だが、おそらく同年代だろう。同い年かひとつ下か、と見当をつけていると、

「来年、高校生になります」

と先に言われた。つまりひとつ下ということだ。

通された座敷は障子があけはなされ、庭の眺めが一望できた。

いったいどこから水をひいているのか、池泉があり、ちいさな滝があり、まわりには石灯籠《いしどうろう》や手水鉢《ちょうずばち》が据えられていた。庭師の手がひんぱんに入っているのだろう木々は美しく剪定《せんてい》され、その奥には銀沙灘《ぎんしゃだん》を模したのか、白砂が円錐《えんすい》状に盛られている。

晶水には庭園の技巧を見抜く眼力はないし、はたまた侘《わ》び寂《さ》びを理解できる教養も年の功もない。思うのはただ「お金かかってそう」の一言であった。

運ばれてきたお茶と干菓子に口をつけても、いっこうに緊張はとれなかった。

志寿が伏し目がちに、

「では、おばあさまからもうお聞きでしょうけれど――」

と切りだした言葉を「あ、いえ」とさえぎったとき、がらにもなく晶水の声はわずかに震えた。

志寿と若菜の視線が、彼女の上に集まる。思わず頬が火照《ほて》りかけたが、晶水は深呼吸して、

「じつは、おおよそのところしか、まだ教えてもらっていないんです。順を追って、はじめからお話していただけるとありがたいのですが」

と、なるべく平静をよそおって言った。

実際、千代からはなにひとつ聞いてなどいないのだ。もしかしてなにか教えてもらったかもしれない孫息子はといえば、てれっとだらしなく膝を崩し、口をあけて庭を眺めているきりだ。

――新幹線の中で、ちゃんと山江を問いつめておけばよかった。

胸中で激しく悔やむ晶水をよそに、

「そうですか。では、わかりやすいよう、大昔のことの起こりから話しましょうね。若い人には古すぎて、あまりぴんと来ないお話とは思いますが」

と、志寿が首を縦にした。

色の薄い彼女の唇がひらく。

だが声が発せられる前に、その細い肩がぴくりと跳ねた。

「——直臣《なおおみ》」

視線が、襖《ふすま》の向こうに据わる。慌てたように腰が浮く。

彼女は肩越しに娘を振りかえって、

「奥で、あの子が泣いてるわ——声が聞こえる。ごめんなさい若菜、あなた、代わりにお客さまのお相手をしてちょうだい。うちの話はよく知っているからだいじょうぶよね。じゃあ、お願いね」

言うが早いか、ばたばたと座敷を出て行ってしまう。

裾を乱した、令夫人らしからぬ足さばきであった。顔いろが変わっていた。

ぽかんと和服の後ろ姿を見送った晶水と壱に、

「……すみません」

恥ずかしげに、若菜が頭をさげた。

「弟の直臣は、やっとできた待望の男の子なもので、扱いが別格なんです。母はそりゃもう過保護で、咳《せき》ひとつしても半狂乱になるくらい」

「じゃあもしかして、おれたちをわざわざ呼んだのって、その弟くんのためだったりする？」

　壱がはじめてまともに口をひらいた。

「その子、いまいくつ？」

「六歳になったばかりです。来年、やっと小学生。うちじゃ五歳を越えて生きのびた男の子はめずらしいから、母にしてみたら小学校入学というのはすごく大きな節目なんです。だからせめてここを越えれば、と母は必死になっちゃって――」

「ちょ、ちょっと待って」

　晶水は割って入った。

「ごめんね若菜ちゃん。さっきも言ったように、わたしたちはあまり、ちゃんと話の次第を教えてもらってないんだ。さっきおかあさんが言ってた〝大昔のことの起こり〟というところから、聞かせてもらってもいいかな」

「あ、え……はい」

目をしばたたいて、若菜はうなずいた。

　少女を落ちつかせるため、晶水は「じゃあ一服して、いったんリセットってことで」と場を仕切った。晶水、壱、若菜の三人で、それぞれお茶と干菓子を片づけるまで小休止とする。

　紫陽花《あじさい》、ひさご、貝に観世水《かんぜみず》、と見ためにも涼しげで美しい菓子は、すうっと甘く舌に溶けて、少女の気も落ちつかせてくれたようだ。

おかげで数分後に、

「大美濃《うちの》家は代々、祟《たた》りで女しか生まれない、男が根つかない家系だと言われているんです——」

と口にした若菜の顔は、台詞の内容とは真逆にしごく冷静であった。

「祟り？」

晶水は訊きかえした。

「って、どういうこと？」

「馬鹿馬鹿しいと思われますよね。でも、そういう言いつたえなんです」

と若菜は硬い頬でうなずいて、

「そして実際、ただの誹謗《ひぼう》中傷とも言いきれないんです。だって大美濃家はほんとうに、何代も何代も男児に恵まれていません。だからあとを継ぐのはいつも娘で、婿《むこ》養子をもらっても、なぜかみんな早死にしてしまうんです」

くしゃっと顔を歪めた。慌てて晶水は口をはさんだ。

「みんなって——あの、ごめんね。じゃあ若菜ちゃんと弟くんのおとうさんは？」

若菜が深くうなだれる。

「三年前に、死にました」

苦い声だった。

「こんなこと言うの、恥ずかしいんですけど……幻覚を見るようになって、自殺したんです。うちに婿に来た男の人は、みんなそう。おかしなことを言ったり、見たりするようになって死んでいくんです。でも父はまだいい方でした。もっと前の時代だったら、下の座敷牢《ろう》に押しこめられただけで死ぬまでほうっておかれたろう、って親戚が言ってましたもん」

すうっと晶水の背が寒くなった。

話の内容はもちろん、「下の座敷牢」という言葉にもだ。つまりこの屋敷にはまだ、そんな場所が現存するらしい。

「いやなこと聞いてごめんなさい。──おとうさんのこと、ご愁傷さまです」

「ご愁傷さまです」

晶水と壱は声を揃え、頭をさげた。

「まだ話してもらってだいじょうぶ？　祟りっていうのがどういうことなのか、そこも訊いてもいいのかな」

「はい」

かすかに鼻をすん、と鳴らして若菜はうなずいた。

「どのくらい前のことかはわかりません。でもこれは……わたしが子供の頃から、聞かされてきた話です」

と前置きして、少女は語りはじめた。

「この町には城があったので、外から攻めこまれることがないよう、長らく大きな橋はありませんでした。でも水害が相つぎ、殿さまの代替わりが同時におこなわれた年に、〝退却ならびに避難用としての橋をつくってもいいのではないか〟という声があがったんだそうです。でも何度こころみても、橋は建設途中で流されてしまいました。もしかしてこれは水神さまに捧げものをしなければならないのではないか、と町民は話しあい、最終的に〝橋のために、人柱を立てよう〟ということに決まったんです」

「そんな」

唐突な結論に、晶水は慌てた。

「なんだって、一足飛びにそんなことになっちゃうの」

「そのあたりのことはわかりません。たぶん、わたしたちが現代の感覚で考えても無意味なんじゃないでしょうか」

と中学生らしからぬ沈着ぶりで若菜は応え、

「ともかく人柱として白羽の矢が立ったのが、大美濃家のひとり娘だったんだそうです。けれどあと数日で人柱の儀式が行われる、というとき、町にふらっと見慣れぬ旅人が訪れました」

言いつたえでは、旅人は貧しい身なりの男だったという。

「大美濃のあるじはその旅人を〝もてなしてやる〟と言ってだまし、家に呼びこんで縛りあげ、娘の代わりに人柱にさせたそうです。まわりの人はそれと知っても、とくに責めもしませんでした。犠牲の人柱さえいれば、べつに誰であってもかまわなかったんです」

「むしろ、よそ者の方が都合よかったかもね」

壱が肩をすくめた。

「はい。橋のために生贄《いけにえ》になるのがよそ者であれば、こちらも良心の呵責《かしゃく》が減ってちょうどいい、くらいにしか、みんな思わなかったそうです」

と若菜はうなずいて、さらに言葉を継いだ。

「人柱にされた男は、杭《くい》に縛られ、埋められながらずっと叫んでいたそうです。〝呪ってやる、恨んでやる。おれは邪視の生まれだ。おまえら一族に、男が生まれることはもうないだろう。もし生まれたとしても、おれの邪視に魅入られて早死にするんだ。おれの呪いが生きている限り、おまえの家は栄えるが、代わりに男という男はみな死に絶えるだろう〟――って」

「邪視？」

聞きなれない言葉に、晶水が首をかしげる。

「そういう伝説があんだよ。その眼に睨まれると不吉なことが起こるとか、病気になるとかそういうの」

と横から壱が言い添えた。

彼は若菜の方に顔を向けて、

「おれ、ばあちゃんといっしょに仕事してて、若菜ちゃん家に言いつたえられてるような話をよそでも聞いたことあるよ。たいていメインの話は同じなの。お客さんを殺して、祟られて、家は栄えるんだけど、子孫がみんな病気になったり早死にしたりすんの。『六部殺し伝説』とかってやつだ」

と言った。

「確かに、ありきたりな伝説なのかもしれません。でもうちに来た男の人が、みんな早死にしてしまうのはほんとうです。生まれるのも女、女、女ばっかり。極端な女系一族なんです」

若菜はかぶりを振った。

「曾々々祖母も、曾々祖母も、曾祖母も、祖母も娘しか生みませんでした。だからうちは代々、婿養子をもらって子孫を残してきたんです」

「そのお婿さんたちは、ひとり残らず早死にしたの？　例外はないの」

晶水の問いに、若菜はうなずいて、

「わたしの知る限りでは、ひとりいました」

「誰？」

「祖父です。わたしの祖父は天寿をまっとうした、と言えると思います。享年七十九で、食道癌の手術後、体力が落ちて病院で亡くなりました。こんな言いかたってひどいんですけど、うちの男にしてはめずらしい――ほんとにめずらしい、ちゃんとしたまともな死にかたでした」

それはよかった、と言いかけ、急いで晶水は言葉を飲みこんだ。

「祖父のお葬式には、ものすごくたくさんの人が来ました。まるでお祝いみたいな空気でしたよ。〝祟りは終わったんだ、よかったな。おめでとう〟なんて、はっきり口にする人までいたくらいです」

わたしはおじいちゃん子だったから、そういうのちょっといやだったけど、と若菜は小声で愚痴って、

「でも親戚が喜ぶ気分もわからないでもないから、複雑な気分でした。そのときはまだ父が

生きてたし、これで祟りが終わって、父が長生きするならいいか、とも思いました。数年後に弟の直臣も生まれて、ああほんとに祟りはなくなったんだ、って、みんなほっとしたんですけど」

「でも、やっぱり終わってなかったんだ」

壱が言った。

はい、と若菜がうなずく。

「ね、そんなたいそうな話なら、なんでおれらが呼ばれたのかな。若菜ちゃんちで男が早死にするどうのこうのの祟りに、おれらはいったいなにができそう？」

無遠慮に壱が少女の顔を覗きこんだ。

若菜は一瞬目を見ひらいた。ひゅっと喉を鳴らし、息を吸いこむ。

「……じつは」

と前置きして、

「じつは大美濃の男はみんな、〝悪夢をみて、弱って死ぬ〟んです」

苦い声で若菜は答えた。

「曾々々祖父も、曾々祖父も、曾祖父もそうでした。毎晩みる悪夢のせいで弱っていって、錯乱するか、病みつくか、もしくは自殺するかだったそうです。そしてさっき言ったように、わたしの父も──」

なるほど、それで山江千代に依頼が来たわけか、とようやく晶水は納得した。

膝に置いた手を、若菜がぎゅっと握りしめる。

「直臣が生まれて、半年ほど経ってからのことです。父が『悪い夢ばかりみる。眠るのが怖い』と言うようになりました。わたしも母もぎょっとして、ああまたはじまったのか、って思ったんですけど、なるべく顔に出さないようにして『気のせいだよ。せっかく直臣が生まれたのに、弱気出さないで』なんて励ましていました」

でもいま思うと、それがいけなかったのかも、と少女は眉を曇らせた。

「鬱《うつ》っぽい人に『がんばれ』とか『だいじょうぶ、やれるよ』って言葉をかけるのは、よくないらしいんです。でもそのときは知らなかったから、父にそんなことばっかり言ってた気がする。だから、わたしが悪かったんです」

「そんな」

晶水は身をのりだした。少女の手をきつく握る。掌の下で、ちいさな拳が震えているのがわかった。

「若菜ちゃんのせいじゃないって。そんなふうに思っちゃだめだよ」

「ありがとうございます」

若菜はすこし頭をさげて、

「でも父は夢をみるようになって一年しないうち、土蔵の梁で……あの、自分で、あれしてしまったんです。それからしばらく、わたしもよくない夢ばっかりみました。いちばんしょっちゅうみたのは、ああすればよかったこうすればよかった、ごめんね、って父にずっと謝ってる夢」

と目を伏せた。

「でもそれも、何年かしておさまりました。直臣もあんまり体の丈夫な方じゃないけど、大きな怪我も大病もせずやってこれました。あの子も来年は小学校入学だし、これでようやくひと息つけるかな、なんて思ってたんですけど」

「けど？」

壱が小首をかしげる。

ややためらってから、若菜は声を押しだすように言った。

「――近ごろ、直臣まで、例の夢をみるようになったんです」

数秒、室内に沈黙が落ちた。

若菜が胸の前で手を揉みあわせて、

「あれは、二箇月くらい前のことでした。夜になってやけに愚図るなあと思ったら、あの子が『寝たくない』って言うんです。『寝ると、怖い眼が見える。だからいやだ。寝たくない』って。そのときはなんとかなだめて寝かしつけたんだけど、そしたらあの子、夜中にものすごい悲鳴をあげました。母とふたりで駆けつけてみたら、『眼が睨んでる。知らない人が、ずっとこっちを睨みながら笑ってる』って、おかしくなったみたいに泣きわめいて――」

「弟くんて、幼稚園児なのにもうひとりで寝てるの？」

壱が口をはさんだ。

ちょっときょとんとしてから「ああ、はい」と若菜がうなずく。

「当主の自覚を持たせるためだとかで、五歳からはひとりで寝せていました。でもいまは、あんまり夜叫《やきょう》がひどいときは母が添い寝することもあります」

「ふうん」

壱があいまいな声を出した。晶水は「もう黙って」と壱に目くばせし、若菜に向きなおった。

「ごめんね、立ち入ったことばっかり聞いて。弟さんのこと、心配だよね」

「はい」

うなずいてから、若菜はふっと笑って、

「弟はもちろんだけど、ほんと言うとわたし、自分自身のことも心配だったりするんです。

……だってこんな家の娘じゃ、将来好きな人ができても絶望的でしょ。うちにお婿に来てくれる人なんていそうにないし、かといってお嫁に行ける気もしないもん」

と冗談めかした口調で言った。

が、その目はすこしも笑っていなかった。

3

「じゃ、はじめます」

座敷に運び入れてもらった布団に、直臣と壱は並んで横たわった。

直臣側の布団の脇には、母の志寿と、姉の若菜が並んで座る。晶水は、壱の枕もとに正座した。

右手で壱は直臣の手をとった。左手はというと、「ん」と当然のように晶水に差しだしてくる。志寿と若菜の手前いやだとも言えず、黙って晶水はその手を握った。

じきに直臣が寝息をたてはじめる。壱が目を閉じる。

壱のまぶたがわずかにぴく、と震えたのを確認して、晶水もまぶたを伏せた。

ずぶずぶ、と泥に沈むように、ゆっくりと意識が下降していく。やわらかく、あたたかな泥だった。

夢によって、落ちていくときの感覚はすこしずつ違うようだ。こんなふうにあたたかく感じることもあれば、ひんやりと涼しく思うこともある。

下降が止まった。

足の下に、薄闇を透かした見えない床がある。ここに行きつくのだけは、どの夢においてもたいてい同じなようだ。晶水はしゃがみこみ、目をこらした。

見わたす限り、いちめん墨を流したような闇がひろがっている。壱の姿は見えない。直臣もだ。晶水は床に這いつくばるようにして、さらに下をじっと覗きこんだ。

かすかになにか見えた気がした。ふたつの白が閃く。

あれはなんだろう、光だろうか。そう思って眉根を寄せたとき、音もなく床が隆起した。

焼けた餅《もち》のごとく上へふくれ、盛りあがった頂点がとろりと溶ける。

「ぷはあっ」

と派手な音をたてて、顔を出したのは壱だった。濡れた犬のように頭をぷるぷるっと振って、「だめだ」と言う。

「だめって？」

「すっごい深いとこで眠ってる。夢はみてるんだろうけど、深すぎて、そこまで潜っていけるかあやしい」

「深いって、もしかしてそれ、レム睡眠とかノンレム睡眠とかってやつ？」

「石川、よく知ってんね」

壱は白い歯を見せて、

「でも、すんごい深《ふ》っかい睡眠中でも、いちおう夢はみてるはずなんだよなあ。ごめん、もうちょいここで待ってて。もっぺんトライしてみる」

潜水前のように、すうーっと音をたててたっぷり息を吸いこむと、頬をふくらませて、壱はふたたび「とぷん」と沈んでいった。

晶水は床に膝をつき、闇の向こうを凝視した。

まるで厚い黒雲に覆われた夜空だ。もちろん風はないから、雲の切れ間ができる様子はない。だがまたかすかに、遠くで細く白がきらめいたように思えた。

ぷはっ、と息を吐いて壱が浮上してきたのは、それから十数秒後のことであった。その腕を摑んで、晶水が床の上へひきずりあげる。

「やっぱ、今日は無理っぽい」

壱はかぶりを振って、

「あの子、そうとう睡眠不足だったんじゃねえかな。明るいとこだからなのか、家族に見守られてるからなのかはわかんないけど、安心しきって底の底で熟睡してら」

と言った。

「石川はなにか、見えたり聞こえたりした？」

「あ、うん、えーっと」

すこし言いよどんで、

「気のせいかもしれないけど、白い光か火みたいなのが、ちらちらっとふたつ見えた。人の眼かな？　とも思ったんだけど、どうだろ。さっきの若菜ちゃんの話に影響されてるだけかもしれないから、自信ない」

言い終えて顔をあげると、壱は顎に手をあてなにやら考えこんでいた。

「山江？」

「いや、たぶんそれで間違いねーと思うよ。ふたつの眼だ。やっぱ、邪視の言い伝えってほんとなんだな」

「まさか」晶水は首を振った。

だが壱は「いちいちまさかなんて思ってちゃ、ばーちゃんやおれとは付きあえねえじゃん」と笑った。それもそうだ、と納得する彼女に、左手を伸ばしてくる。

「起きよっか」

うなずいて、晶水は彼の手を握りかえした。

ぐん、と意識が持ちあがった。まぶたをひらく。ゆっくりと首を振る。眼前に、またあの麗々しい和室があった。

床の間に掛けられた書の軸。枝を花ごと活けた壺《つぼ》。節くれだった床柱は磨きあげられてぬめるように光り、あけはなされた障子の向こうには、一分の隙もない端正な日本庭園がひらけている。

間違いない、ここは大美濃家の座敷だ。

まだすこしぼんやりしている晶水の視界に、身を起こす壱の姿が映った。直臣はまだ眠っているらしく、敷布団の上で微動だにしない。

壱はその場に正座すると、志寿に向かって頭をさげた。

「すいません。失敗しました」

「失敗？」

志寿が怪訝な顔をする。

「直臣くんの眠りが深すぎて、おれじゃ追いきれませんでした。ほんとにすみません。すみませんけど、明日もう一回やらせてください」

いまだ熟睡している少年をちらっと見て、

「今日これだけ寝ておけば、明日はもうちょっと意識が浅いところに来ると思うんです。だから明日、できればもういっぺんチャンスをください」

人さし指をたてて、「ほんとにほんと、泣きの一回で」と頼みこむ。

志寿は思わずといったふうに頬をゆるめ、くすっと笑った。

「そんな。お願いしているのはこちらの方なのに。頭をあげてください」

と壱の肩に手をかける。

妖艶《ようえん》な仕草だった。そばで見ていただけの晶水でさえ、なんとなくどきっとしてしまったほどだ。しかしその雰囲気をぶち壊すかのように、壱は「がばっ」と音がしそうなほど大げさに頭を跳ねあげた。

「じゃあまた明日！　ほんとに大マジで、次こそおれ役に立ちますから！　期待して信用してください」

「もちろん。千代さんのお孫さんですもの。最初から信じていますわ」

と志寿は上品にふくみ笑った。

ついと息子の直臣の顔を覗きこんで、「まあ。ほんとうによく寝ていること」と吐息をつく。

「こんなに熟睡しているこの子を見たのは、何週間ぶりかしらね。どうしたんでしょう、まさかこれも山江さんの力？」

「いや、これはおれらとは関係ないです。ただすごく安心して眠ってるのは、夢の中でも伝わってきました。だから、しばらく起こさないであげてもらえますか」

「ええ、それはもちろん」

壱の言葉にうなずきかえすと、志寿は愛息子の寝顔にまたすぐ目を戻した。

だがかたわらに座る若菜の視線が、妙に晶水の神経をぴりっと波だたせた。

あの目つき。視線。なんだか、妙に冷ややかに母と弟を見てやしないだろうか――とそこまで考えて、はっと晶水はその思いを振りはらった。

――まさか。

若菜ちゃんはどこからどう見てもいい子だ。そんなふうに思うなんて、どうかしている。最近ましになってきたつもりだったけど、やっぱりわたし、母が死んでから感性が荒《すさ》んでいるみたいだ。

そうぐるぐると考える晶水を後目に、壱がさっと立ちあがる。

庭園を指さして、

「あの、ちょっとだけ入ってみてもいいっすか？　おれ、こんなキレーな庭、見るのはじめて」

と言う。志寿が微笑んだ。

「どうぞ。誰か案内の者をつけましょうか」

「いや、いいっす。どうせ説明されてもよくわかんないし、好きに遊びたいんで」

言うが早いか縁側に出ると、沓脱石《くつぬぎいし》のサンダルを引っかけざま、小学生そのものの顔つきで走っていってしまう。

なかば呆然と、晶水はその背中を見送った。

もう、どこから突っこんでいいのかわからない。恥ずかしいとか、みっともないとか、空気読めだとか、いろいろ言いたいことはある。山ほど浮かんでくる。だがいまは、そのすべてがむなしかった。

晶水が『諦《あきら》めの境地』に片足を入れかけていると、ふいに耳もとで涼しげな声が響いた。

「――あなたがたはいつも、千代さんといっしょに夢をみているのよね？」

志寿だった。

慌てて晶水は、

「はい」

と首を縦にした。なぜか、どぎまぎしていた。

志寿が微笑する。

「じつはわたしも一度だけ、あるのよ。もう三十年も前の話だけれど」

「え？　あ、でも確か、その当時はおかあさまとおばあさまが、って」

——おばあさまの千代さんには三十年ほど前に、祖母と母とがお世話になりました。

ほかならぬ志寿自身が言っていたことだ。

ええ、と志寿は首肯して、

「そのときはほんの子供だったけれど、わたしもいっしょに夢をみたの。依頼したのは祖母と母で、夢の世界に入ったのは母とわたし。でも千代さんはもう、覚えていないかもしれないわね」

そんなこと、と晶水は言おうとした。

しかし視界の端に、とうてい見すごせないものが映った。それは庭園の砂盛りの下で、派手に砂遊びをはじめる壱の後ろ姿であった。

すいません、ちょっと、と志寿に言い置いて「こら、やめろっ！」と怒鳴りつつ庭へ走り出る。

「あ、石川もトンネル掘る？」

「掘るか馬鹿！」

怒号とともに、壱の頭上にごちんと落ちるげんこつの音が響きわたった。

「そろそろお荷物置きたいですよね。お部屋、案内します」

そう言ってふたりを先導してくれたのは、奥で立ち働く家政婦さんたちではなく、大美濃若菜であった。

「べつべつのお部屋の方がいいですよね？」

「ぜひ」

晶水は即答した。

「ではおねえさまが奥で、弟さんは一間おいた向こうの客間へどうぞ」

どうやら姉弟だと思われているらしい。ここでへたに「他人だ」などと主張すると、いろいろな意味で藪蛇《やぶへび》になりそうだ。なのであえて否定せず、

「晶水でいいです。こちらは……壱です」

と、微妙に顔をそむけたまま晶水は名乗った。

アキミさん、イチさん、と口の中で繰りかえしてから、若菜はにっこり笑った。

「座ってるときはわからなかったけど、晶水さんって背高いんですね。かっこいい、モデルさんみたい」

「いや、バスケやってたってだけ」

べつにそんないいもんじゃないから、と晶水は無表情に手を振った。しかし若菜は目を輝かせて、

「いいなあ。わたしチビだから、背が高い人って憧《あこが》れちゃいます」

とさらに言いつのる。

肩掛けのかばんを揺すって、

「えーそう？　若菜ちゃんはいまのままでいいじゃん」

しれっと壱が言った。

「その身長で似合ってるよ」

「そ、そうですか？」

「うん、かわいいもん。そのままでいいと思う」

てきめんに顔を赤くする若菜を前にして、照れもてらいもない口調で断言する。

なぜか晶水の胸が、その瞬間、わずかにちりっと痛んだ。

4

そらおそろしいほど大きな月が、頭上高くにこうこうと輝いていた。

もちろん白夜とまではいかないが、あふれるような月光である。まわりに街灯やコンビニがないせいか、星の美しさが際だっていた。夏の大三角。ヴェガ。アルタイル。さそり座に至ってはアンタレスからシャウラまでくっきりと見える。まさに降るような星空、というやつだ。

縁側に腰をおろして、ぼうっと晶水はその夜空を眺めていた。

ふっと背後に気配がしたかと思うと、

「石川」

と声がかかる。

肩越しに見やると、上はTシャツ、下はジャージという、晶水とまったく同じ格好の壱が立っていた。

「寝巻、借りなかったんだ」

「ん」

壱はうなずいて、「浴衣で寝んの、苦手でさ」と小声で言った。

じつを言うと晶水も彼と同じく、若菜から「寝巻にどうぞ」と浴衣を貸してもらったのだ。が、あんな紐一本でひっかけるだけの布きれでは、翌朝には大惨事だろうと簡単に予想がついた。結果、すこし迷ったものの、持参のTシャツとジャージの方を選んだ、というわけだ。

「石川、寝れねーの？」

「寝てたんだけど、起きちゃって」

わずかに眉根を寄せた。

「たぶん直臣くんだと思うけど、子供の声がずーっとしくしく啜り泣いてるんだもん。あの声聞きながら寝るのは、悪いけど無理」

「だよなあ」

首肯して、壱は晶水の横に座った。

ことん、とちいさな音がする。視線をさげると、板張りの床にコーラの缶が置かれていた。残念ながら冷えてはいないらしく、缶の表面に水滴は見あたらない。

「石川も飲む？」

「いいの」

「いいよ、ぬるいけど」

庭園を眺めながら、ふたりで静かにコーラをまわし飲みした。

太やかな松から伸びた枝が、四阿の屋根に長い影を落とす。石英質を多く含む白砂は、月を弾いて銀いろに発光している。

端正な景色に似合わぬ人工的な甘みが、なまぬるく喉をすべっていった。

「若菜ちゃんはあの声、へいきなのかな」

「部屋がもっと遠いんじゃねえ？　それか、家の中で音がすることに慣れちゃってんのかも」

壱が首をすくめた。

「使用人がいっぱいいるのがあたりまえの家だと、他人がたてるちょっとした音とか、あんま気になんなくなるらしいぜ」

「へえ」

晶水はコーラの缶を床に戻した。

「そんなふうになりたいような、なりたくないような」

「いやあ、なりたくねーって。だって、夜中に冷たいコーラ一本買ってこれない生活が毎日だぜ？　おれはちょっとくらい金なくても、ふらっと気軽にどこでも行ける暮らしの方がいいや」

「まあ、そうだね」

声だけで応えて、ふたたび晶水は絢爛《けんらん》な夏の夜空を仰ぎ見た。

二度目の『ゆめみ』は、昨日と同じく座敷で行われた。

敷布団に横たわった壱は、ふっと目だけをあげて、「今日は、いつもおれがやってる役やってよ」と枕もとの晶水にささやいた。

「いつものって？」

「頃合いをみて入って、ひきあげる、ってやつ」

「その頃合いがよくわかんないんだけど」

「まぶたの下で、目玉がめいっぱい動きだしたらでいいよ。そしたら入ってきて。んじゃ、頼んだ」

一方的に言って、目を閉じてしまう。伸ばした右手を、直臣ときつくつなぐ。

すうっとふたりが眠りに落ちていくのがわかった。残された志寿と若菜、そして晶水はただそばで見守るしかない。

十分ほど経っただろうか、閉ざされたまぶたの下で、眼球が激しく動きだした。薄い皮膚越しにも、その眼振がはっきり見てとれる。

晶水は壱の左手をとった。ぎゅっと握りしめる。目をつぶる。意識が落ちる瞬間、生身の自分の肩がことん、と落ちたのがわかった。

一瞬後、晶水はもう薄闇に包まれていた。

弾力性のある床を、ぐっと踏み抜いた。足先が卵白のような、とろりとしたものに沈んでいく。

　顔を伏せて、壱の姿を探した。彼ならたぶん、ある程度は自力で戻ってこられるはずだ。そのままの姿勢で、しばし待つ。

　ふいに腕が見えた。まっすぐに伸ばされている。ためらいなく摑んで、力いっぱいひきあげた。

　壱の頭が見え、顔が見え、肩が、胴があらわれた。小脇に子供を抱えている。直臣だ。今日はいっしょに〝あがって〟きたらしい。

「なにか、わかった？」

　息をきらして晶水は尋ねた。

　夢の中なのだから、肉体的に疲れることはありえない。おそらくこれは、現実での習慣が意識に染みついているせいなのだろう。

　壱も同様に、かいていないはずの汗を手の甲で拭って、

「ぜんぶじゃないけど、すこし見えた。確認してみないとわかんないけど」

　と答えた。

「確認って？」

「あとで言う。いまは、とりあえず起きよう」

そして目が覚めて開口一番、

「すみません。窓がなくて、でこぼこした感じの土壁で、襖に花とか鳥が描かれてる部屋ってこの家にありますか」

息せき切って壱が発したのは、そんな台詞であった。

志寿が面食らったように目をしばたたき、「ええ、はい」と首肯する。

「あります」

「じゃあ、案内してもらっていいすか」

有無を言わさぬ口調で言いつのる。志寿が再度うなずくのを見て、壱は表情をくるりと変え、いつもの顔で無邪気に笑った。


「ここは、代々の当主がつかう寝間となっております」

そう言って志寿が一同を通したのは、十二畳ほどの奥まった一室であった。

土壁らしいが、よくある聚楽壁《じゅらくかべ》よりもっと表面がでこぼこした塗りだ。襖には壱が言ったとおり、金細工入りの花鳥画が四枚つづきで描かれている。

「じゃあ直臣くんも、五歳からここで寝てるんですか」

晶水の問いに、志寿はうなずいた。

「ええ。近ごろはわたしもいっしょに眠ることがあるけれど、いつもはできるだけひとりで寝せるようにしています」

それってちょっとかわいそうじゃないかな、と晶水は内心ひそかにつぶやいた。

立派だが広すぎて、子供がひとりで寝るには寒ざむしい部屋だった。全体に薄暗く、上部にあかりとりの窓がひとつあるきりだ。「眠りが邪魔されないように」という配慮らしいが、晶水の目には静謐《せいひつ》というよりひたすら陰気に映った。

だが壱はといえば、

「いいなあ、おれこういう広い部屋大好き」

あちこち覗きこんだり、撫でたりいじったりと、あいかわらず落ち着きがない。しまいには畳に寝そべったり転がったりしはじめたので、「起きなさい」と耳をひっぱって立たせる羽目になった。

赤くなった耳をさすりながら、

「そっか、夢ん中でこの部屋が見えたから、手がかりかと思ったんだけど……弟くんがいつも寝てる部屋なのか。そんじゃあんまり意味なかったかなあ」

と壱がぼやく。

「直臣は、この寝間を夢にみていましたの？」

「背景は間違いなくここっすね」

と壱は答えて、

「でも手がかりはほかにもいくつかあったから、もう一晩考えさせてもらっていいすか。もうちょっとでわかりかけてるっていうか、このへんの喉もとまで答えが来てるのにー、って感じです」

彼の明るい口調に志寿はふっと顔をほころばせた。が、またすぐ憂いげな顔に戻って、かたわらの息子の肩をきつく抱き寄せた。

「石川、ちょっと」

と、背中をつつかれたのは、「ちょっと荷物をとってきます」とことわって晶水が座をはずしたときのことだ。

振り向くと、壱が立っていた。

「なに、どうしたの」

「トイレ行くって言って、あとついてきた」と彼は言い、晶水に顔を寄せてささやいた。

「悪い。若菜ちゃんと、ちょっと話してみてもらえるかな」

「話すってなにを」

「言いにくいんだけど……自殺した、おとうさんのこと」

晶水は眉をひそめた。

壱がさらに声を低める。

「いやな役だってのはわかってる。でもそのへんのこと、もうちょいくわしく知りたいんだ」

晶水はまじまじと彼の顔を見た。ふざけている様子はない。むしろ、どこか悲しげに見えるほどだ。晶水は迷った。

長い沈黙のあと、彼女はため息まじりに、

「ごめん。やっぱり、気がすすまない」

と首を振った。

「わたし自身、母が死んだあと、他人にごちゃごちゃ訊かれるのがすごくいやだったからさ。相手に悪気があるとかないとかの話じゃなくて、反射的に身がまえちゃうの。あの感覚は、理屈じゃないと思う。それがわかるから――他人にも、あんまりそういう真似はやりたくない」

そこまでひと息に言って、

「……偽善ぽいかな」

とつけくわえる。

「んーん」

あっさりと壱は否定した。

「そんなことねーよ。いいって、べつの方法考える」

「ごめん」

「いいってば」

笑って壱は手を振った。

「おれ、石川のそういうとこ好きだよ」

いつものように、なんのよどみもない声音だった。だがそのよどみのなさが、その瞬間なぜかぴりっと神経に障った。気づいたときには、

「やめてよ、それ」

と晶水は棘《とげ》とげしい声で言い捨てていた。

「それって？」

問いかえされて、ぐっと詰まる。

「だから、そういうふうに……あの、軽がるしく、好きとかいうの」

「べつに軽く言ってるつもりはねーけど」

「よく言う」

顔をそむけて、胸につかえた台詞を吐きだした。

「山江の〝好き〟なんて、どうせ〝ハンバーグが好き〟とか〝広い部屋が好き〟っていうのと同じレベルでしょ。たかがその程度のことを、いちいち言われるのがいやだって言ってるの」

空気が変わった、と悟ったときには遅かった。

「――は？」

壱の声が低くなった。いままで聞いたことのない声音だ。しまった、と思ったが、もう取りかえしがつかなかった。

「同じレベルってなに？……そんなわけねえじゃん」

別人のような冷えた口調だった。

晶水は目線を落とした。動けない。顔があげられない。まとわりつく空気が、鉛のように重く感じられた。

「石川って、案外馬鹿だな」

短く言って、壱がきびすをかえす。

足音が長い廊下を遠ざかっていくのを聞きながら、しばらく晶水はその場から一歩も動けなかった。

5

舐めたら薄荷《はっか》の味がしそうな、大きく青白い月が冴《さ》えざえと光を投げ落としていた。

あたりはしんと静まりかえっている。

夜の薄闇の中では、襖に描かれた鳥も、置き提灯や吊り提灯のあえかな明かりも、風に揺れる簾《すだれ》も、すべてがどことなく不気味に映る。

磨きあげられた廊下に、長い長い影が落ちていた。

自分の影を眺めつつ、晶水はそっと足音を殺して、小走りに大美濃家の廊下をすすんでいた。

片手には、この前時代的な屋敷には似合わぬ薄型の電子機器が握られている。携帯電話だ。

つい一分前、『来て』とメールが届いて、呼びだされたのだった。

突きあたりの腰高障子をあけた。早足で、さらに無人の二間を突っ切る。やけに早く高く、鼓動がどくどくと鳴っていた。

晶水は足を止めた。

目の前に、金の入った花鳥画の襖があった。昼間、「代々の当主の寝間だ」と志寿に紹介された部屋だ。

ひとつ深呼吸する。襖に手をかけ、すらりと横にひきあけた。

「――石川」

中から、ささやくような声がした。

山江壱の声だ。

後ろ手にそっと障子を閉め、晶水は暗さに目をすがめた。

敷かれた布団に上体を起こしているのは、大美濃直臣ではなく、壱だった。

メールによると、「弟くんに頼んで、おかあさんにも若菜ちゃんにも内緒で、部屋を取りかえてもらった」のだという。いったいいつ交渉していつ成立したのか知らないが、よくあの志寿さんの目をかいくぐれたな、と晶水は内心冷や汗ものであった。

「誰にも見られなかった？」

「と、思う」

晶水は答えた。

つい数時間前の会話が嘘のように、壱はまったく常と変わらない。まるきりいつもの口調で、いつもの表情だった。

ならいいけど、と彼はうなずいて、

「石川、ちょっとここ寝てみて」

敷布団をぽんぽんと叩いた。

えっ、と思わず固まる晶水に、「違う違う、べつにやらしい意味じゃないから」と苦笑いし、

「いいから、横になってみて」

いま一度繰りかえす。

ふしょうぶしょう、晶水はいままで壱の寝ていた布団にそろりと寝そべった。

「枕に頭置いて、そう。んでそのまま、右ななめ上を見て」

言われるがままに視線を流す。

途端、晶水はぎょっとした。

体がこわばる。目をそらしたいのに、そらせなくなる。自分の見ているものが信じられなかった。何度かまばたきしたが、それはやはりそこにあった。

おそらく壱がそばにいなかったなら、晶水は悲鳴をあげていただろう。

夜闇に、巨大な人の顔が浮きあがっていた。

醜い女の顔だ。笑っているのか大きく口をあけ、乱杭歯《らんぐいば》を剝きだしている。だがいっぱいに見ひらいたふたつの眼は、すこしも笑んではいなかった。

奇妙な眼つきだった。微妙に焦点がずれているのに、同時に、はっきりとこちらを睨めつけているのもわかる。そして、口いっぱいの笑み。

まともな人間は、こんなふうに目を見ひらきながら笑えるものではない。

女の眼に浮いた色を、晶水はまざまざと読みとった。それは、まぎれもない狂気だった。

――狂女の顔。眼。

――邪視。

「……見えた？」

壱の声がした。

はっとわれにかえり、晶水はうなずいた。

起きて、とうながされ、慌てて体を起こす。

ふいに視線がかき消えた。さっきまで確かにそこにあったはずの、あの狂女の視線が一瞬にして失せてしまった。

とまどう晶水に、

「仕掛け自体は、簡単なんだ」

と壱は言った。

立ちあがり、顔が浮いていたあたりの壁を掌で撫でまわす。

「布団を敷いて、枕を東側に置いて、寝そべった姿勢でこっちに目を向けたときにだけ見えるよう、角度を計算して壁いっぱいに顔が彫りこんであるんだよ。たぶん窓がないのは、射しこむ明かりで効果が薄れるのを嫌ったんじゃねーかな」

ちいさく舌打ちして、

「邪視だなんだって暗示をかけられた上、こんなもん見せられたら怖《こ》えーに決まってるよな。そりゃみんな、ノイローゼにもなるって」

「じゃあ……これが？」

これが原因だったのか。若菜の父や、曾祖父や、曾々祖父たちが〝眼〟を恐れ、悪夢をみながら変死したというそのわけは。

「だから山江、この部屋に入ったときにわざとあちこちさわったり、寝転がったりしてたの」

晶水が問う。しかし壱は聞こえないふりで、

「意地が悪《わ》りぃよなあ。ここにこんなもんがあるって知ってて、毎晩『さあ、おやすみなさい』ってやさしい顔して布団敷いとくんだぜ。彫った顔なんかより、おれはその性根の方がずっと怖《こ》えーや」

「でも、若菜ちゃんのおじいさんは八十歳近くまで生きたって言ってたじゃない。どうし

て？　おじいさんにはこの顔が見えなかったの？　目が悪かったとか？」

つい高くなった晶水の声を、

「――いいえ、違うわ」

冷えた声音がさえぎった。

「父には、母が見せなかったのよ。だって、その必要がなかったから」

振りかえると、襖の向こうに志寿が立っていた。

寝巻だろう白い浴衣一枚で、火のついた灯明皿を手にしている。結わずに肩へおろした髪が大きく乱れていた。

血の気を失った面が、凄艶《せいえん》な色をたたえている。

志寿は言った。

「わたしたち大美濃の総領娘はね、代々、嫁入り前に母からこう教えられるの。〝いいかえ、婿さまが一生添い遂げられる伴侶《はんりよ》だったならば、西枕で寝かせなさい。だがそうでなかったなら、東枕で寝かせなさい〟――とね」

東枕から壁を見あげると、そこには醜い狂女の顔が見える。しかし西枕からはなにも見えない。それが、この寝間の秘密であった。

もし夫が不実だったなら、もしくは酒や博打《ばくち》癖が過ぎたなら、妻をないがしろにする暴君であったなら。

彼らは「そろそろあなたもこの寝間で眠る資格がおありだわ」と誘導された末、この部屋の東枕で寝かせられる。そうして、

「あそこに顔が見える。女が笑って、睨んでいる」

と騒ぎたてる夫に、添い寝する妻は平然とこう言うのだ。

「あら、どこに？」

「見えませんわよ、そんなもの。気のせいでしょう」

「きっと疲れてらっしゃるのよ。そうでなければ、神経のつかいすぎかしら」

自分にだけ見えるのか？　と男たちは愕然とし、思い悩み、ついには病みやつれて死んでいった。

もちろん中にはなかなか病まぬ男もいた。夜ごと見える顔の謎を解こうとする男もいた。だがそのときは女たちで、

「あるじさまは、〝そこにない〟はずのものが見えるようになったそうな。祟りですわ、ご乱心ですわ」

と騒ぎたて、わざと大ごとにして座敷牢に押しこめた。

さいわい志寿の父はやさしく、誠実な男であった。妻に一度も手をあげることなく、外に

女をつくることもなかった。だから彼は当主となってからも終生西枕で寝かされ、無事に天寿をまっとうした。

「祖父も曾祖父も、曾々祖父もろくでなしだった。でも父は違った。父のような男のひとがきっといると思って、選びに選んで結婚したのに」

志寿は唇を噛んだ。

「おとうさんが、なにをしたって言うの」

高い声がした。若菜だ。おそらく母親のあとを尾けてきたのだろう、少女の白い顔が、闇にぼうと浮かびあがっている。

「――なにをしたか、って？」

志寿が娘に首を向ける。唇が笑みに歪んでいた。

「あの人、わたしのことを笑ったのよ。おまえらなんか、旧家ぶっててもしょせんはただの〝女腹〟じゃないか。忌まいましい。それこそ祟りじゃないのか、って」

「だからって」

若菜が叫んだ。

「だからって、直臣までなぜひどい目に遭わせるの。あの子に罪はないじゃない」

「あるわよ」

平然と志寿は言った。

「生まれてきたことが罪なのよ。あの子がこの家にいること自体、大きな間違いなの」

だってあの子には、大美濃の血なんて一滴も流れていないんだものね――。さらりと彼女は言った。

「あれは夫が、よその女に産ませた子よ。女腹をいつまでもさらけだしていちゃ世間に恥ずかしいって、あいつが妾のもとから無理やり引きとってきたの。まったく、どこまでもわたしを馬鹿にして。あのろくでなし」

志寿の父が病院で平穏な死を迎え、直臣という〝跡取り〟にも恵まれたことで、分家筋をはじめとする親戚一同は沸きに沸いた。

祟りは消えた、これで大美濃は安泰だと、誰もが夫を「でかした」「よくやった」と誉めたたえた。

ほとぼりがさめた頃、志寿は夫を例の寝間にいざなった。

「この部屋は、代々の当主のみがつかえる寝室なのよ。あなたも当主の貫禄《かんろく》が出てらしたもの。ここをつかっても誰も文句は言わないでしょう」

夫が土蔵で縊《い》死《し》したのは、半年後のことだった。

そうして四年後、今度は直臣がこの部屋に寝かされる番がやってきた。志寿が「早くから当主の自覚を持たせるべき」と主張したがゆえだ。

一年ほど様子をみて、志寿は東枕に変えるよう家政婦に指示した。直臣が「もとの枕がいい」と愚図ったときは、添い寝で言い聞かせて黙らせた。

「じゃあどうして、わたしたちを呼んだんです」

呆然と晶水は言った。

そこで山江千代に声をかけ、もし見破られたのでは計画が台無しではないか。しかし志寿はかぶりを振って、

「ほんとうは、あの婆あ本人を呼びだしたかったのよ。でもこうなれば、しかたないわね。孫でもかまわないわ」

と言いはなった。

若菜を背にかばいつつ、晶水は叫んだ。

「千代さんに、なにをする気だったんですか」

「あの婆あは、覗き屋の詐欺師よ」

志寿は嘲笑とともに吐き捨てた。

すうっと目を細め、

「あなた、孫だなんて嘘よね」

　正面から晶水を見つめる。

「知ってるのよ。だって事前に調べておいたんだもの」

「な――……」

「あなただってあの女に頭を覗かれたんでしょう。だったら、わたしの気持ちがわかるはずよ」

　ぎらぎらと憎悪に光る眼とは真逆に、平静そのものの声音で彼女は言った。

「三十年前、あの婆あは、祖母と並べてわたしの頭の中を覗いた。わたしがこの家でなにを見て、なにを聞いて育ったか、知ってしまった。そ知らぬふりで出ていったけれど、腹の底じゃ笑ってたに決まってるわ」

　ぎゅっと若菜が背にしがみついてくるのを、晶水は感じた。

　少女の体温と汗の匂いに、ああそうか、とようやく悟る。

　彼女は母親の異常性に、うっすら気がついていたのだ。あの冷ややかな視線は、そのせいだった。

　志寿の右手が動き、灯明皿を傾けた。

　畳に油が散った。

　志寿は笑っていた。目をいっぱいに見ひらいて、歯を剝きだして口だけで笑っていた。

狂女だ、と晶水は思った。壁に浮いていたあの顔と、まったく同じ表情がいま志寿の顔にひたりと貼りついている。理性のかけらもない眼だ。

──理性の眠りは、怪物を生む。

晶水は目をすがめた。

志寿が嘲笑う。

「ほんとうは、すべてをいっぺんに消し去るつもりだった。わたしたちの記憶が染みついた、あの女の脳味噌ごと始末したかった。でも、もういいわ。あんな婆あ、どうせ老い先短い命だもの。かわいい孫が自分のせいで死んだとなれば、残りの短い人生はさぞや苦いものになるでしょうよ」

その言葉が切れるのを待たず、晶水は叫んだ。

「山江！」

いつの間にか志寿の背後にまわっていた壱が、すっと体を沈める。きれいな足払いが入った。悲鳴が湧く。志寿の体が、大きくななめに傾《かし》ぐ。

同時に晶水は走った。

志寿の白い手から、火が落ちる。落下点には、油が飛び散っている。手を伸ばした。が、一瞬間に合わなかった。指をすり抜けて、火が落ちる。

しかし、燃えひろがることはなかった。

落ちた火に、晶水は数回、掌を叩きつけた。熱さは感じなかった。火が消えるのがわかる。指さきにざらついた感触がある。砂だ。白砂。庭。——砂遊び。

こぼれた油の上に、壱が隠し持っていた小袋から砂をぶちまけたのだ。

荒い息をつき、晶水は顔をあげた。思わず壱と顔を見あわせる。めずらしく、彼も蒼白になっていた。

「石川……手、だいじょうぶ？」

うん、とうなずきかえした。

多少じんじんするが、それだけだ。あとで痛みだすかもしれないが、たいした火傷《やけど》ではないはずだった。

壱との連携も、咄嗟のアイコンタクトのみにしてはうまくいった方だと思う。自分の時間かせぎはあまり上手でなかったが、壱の動きに助けられた。

「おかあさん！」

高い悲鳴が湧いた。若菜の声だ。はっと晶水は、床に這った姿勢のまま首を向けた。

畳に志寿が崩れ落ちている。顔色は、紙のように白い。

壱が腕を伸ばし、鼻と口の上に掌をかざした。

ほうっと吐息をつく。

「息、してるよ。……失神してるだけだ」

6

新幹線の発車チャイムが鳴った。

ごとり、とかすかに揺れたのち、なめらかに車両が走りだす。

帰りの席もやはりグリーンだったが、日曜だからか、行きと違って座席はほとんど埋まっていた。

窓からの景色が、駅の構内から町に変わり、鬱蒼と茂る木々を経て、やがて青あおとした夏の山へと移り変わっていく。

ふたり掛けのシートに、晶水は窓際で頬杖をついていた。壱はといえば朝食もしっかりいただいたというのに、駅で買いこんだ駅弁をせっせとかきこんでいる。

食べ終えた牛めし弁当の蓋を閉め、掌をあわせて「ごちそうさま」をしてから、

「どしたの、石川」

と彼は隣席を見やった。

晶水はため息まじりに、

「……若菜ちゃんと直臣くん、これからどうなるのかと思って。おとうさんはもういないのに、おかあさんまであんなことになって」

と言った。

大美濃の屋敷を去る朝、姉弟は最後までちらとも姿を見せなかった。もちろん志寿もだ。ただ、世が世なら「女中頭」とでも呼ばれたに違いない風格の中年女性が、框に膝をついて、

「奥さまはご療養に入られましたもので、わたくしが失礼いたします。このたびはありがとうございました。こちら、わずかばかりですがお納めくださいませ」

と封筒を渡してきたきりであった。

そのまま千代に渡すつもりで封は切っていないが、かなりのぶ厚さだ。おそらく口止め料も入っているのだろうと思えた。

ご療養とやらの内容を詮索《せんさく》する気もない。だが数日で終わる「療養」でないことくらいは想像がつく。数箇月、数年――いや、ひょっとしたら十年単位となる可能性も否めなかった。

再度ため息をついた晶水に、

「……あのさ」

割り箸をビニール袋にしまいながら、壱が口をひらいた。

「おれらを出迎えに来てくれた人ね、ただの運転手さんじゃなくて、じつは分家の跡取りなんだって。おとうさんが死んでから、男手が必要だろうってことでちょくちょく顔出してくれてたんだってさ。べつに財産狙いとかじゃなくて、ほんとにいい人みたいだよ。誰に聞いても評判よかったし」

晶水は目をあげた。

「ほかにも、成人するまで後見人になってくれそうな人には事欠かないっぽい。へんな親族にのっとられたりしないよう、顧問弁護士だか税理士だかもいるらしいし、そうそうおかしなことにはならないんじゃねえかな」

「それ、誰から聞いたの」

「お屋敷で働いてたおねえさんたち。みんな話好きで、いろいろ教えてくれたよ」

こともなげに壱が言う。

いつの間に、と内心で晶水は舌を巻いた。こういうやつを油断も隙もない、とか言うんだろうか。そういえば彼と知り合ってから、油断しては驚かされる、の連続だった気がする。

晶水は頬杖を突きなおし、車窓を流れる景色に目を戻した。

さすがにもう雪をかぶっている山はない。木々のやや黒みを帯びた深緑が、目に沁みるようだ。

　黙ったままの晶水に、

「まだ気になんの？」

　と壱が声をかけた。ぷしゅっと音をたてて、コーラの缶をあける。ただし今度は、ちゃんと冷えて表面に汗をかいた缶だ。

「まあね」

「石川、やさしいなあ」

　ふっと彼が笑う。晶水は思わず顔をしかめた。

「やめて」

　われながら突慳貪《つっけんどん》な声が出た。

「自分で自分のこと、やさしいなんて思ったことないよ。まわりと比べて、特別いいやつだとも思えないし」

　どちらかというときつい性格だとの自覚はある。おまけに女にしては並はずれた長身のせいで「威圧感あるよね」、「おっかなそう」といつも遠巻きにされてきた。なぜか下級生女子にだけはやたらと人気があったが、ちゃんと〝友達〟と呼べる相手は片手で数えられる程度だ。

だがそんな晶水の思いをよそに、

「石川はいいやつだよ」

と壱は繰りかえした。

「――おれのことだってさ、馬鹿とか猿とかは言うけど、一回も〝チビ〟って言ったことないもん。じつはおれが気にしてんの、知ってるからだよな」

車内に短いメロディが流れた。停車駅を知らせるアナウンスが響く。

車両が減速し、駅にすべりこむようにして止まった。扉があいたが、おりていく客はまばらだった。乗りこむ客もほとんどない。

音もなく扉が閉まった。

やがて、ふっと晶水が笑った。

「そういや山江は、わたしのこと馬鹿って言ったよね」

「よく覚えてんね、石川」

壱もにやりとする。

「しょうがないじゃん、だって、そんときはそう思ったんだもん」

肩をすくめて、コーラをぐびっと飲む。

窓の外に目を向けたまま、晶水はつぶやくように言った。

「……ごめん」

「え？」

壱が目をしばたたく。

「ごめんって言ったの。あれは、わたしが悪かった。からんでごめん」

「いいよ」

壱が笑った。例の〝にかっ〟と擬音つきの明るい笑顔だ。空気が一気にやわらぐ。わだかまりがみるみる溶けていく。

晶水を覗きこむようにして、彼は目を細めた。

「そりゃ、たまには喧嘩もするさ。こんなんフツーじゃん？」

「そうかな」

「だと思うよ。ま、おれはもっとラブラブでもいいけど。せっかくの付きあいはじめなんだし」

「はあっ？」

誰と誰が、とつい怒鳴りかけて、まわりの視線にはっとした。真横の乗客にじろりと睨まれ、慌てて首をすくめる。壱がにやにやと小声でささやいてきた。

「お客さん、まわりに迷惑なんでお静かにー」

「うるさい」

苦い顔で睨みつけた。

「冷てぇなあ石川。もうお泊まりまでした仲なのに」

「黙れっての」

次は終点、と無機質なアナウンスが頭上から告げてくる。座席に身を沈めていた乗客たちが頭をもたげ、網棚のバッグや、土産の紙袋を我さきにおろしはじめる。

はるか後ろの座席から聞こえた子供たちの笑い声が、やがて、もっと大きな喧騒《けんそう》に飲まれていく。

ひらいた扉から、真夏の匂いが吹きこんできた。

引用・参考文献

『脳は眠らない　夢を生みだす脳のしくみ』　アンドレア・ロック　伊藤和子訳　池谷裕二解説　ランダムハウス講談社
『〈眠り〉をめぐるミステリー　睡眠の不思議から脳を読み解く』　櫻井武　NHK出版新書
『日本古典文学幻想コレクションI　奇談』　須永朝彦編訳　国書刊行会
『日本「神話・伝説」総覧』　歴史読本特別増刊　事典シリーズ第16号　新人物往来社

この作品は書き下ろしです。原稿枚数389枚（400字詰め）。

幻冬舎文庫

●最新刊
ガンスミス
荒川　匠

ガンスミス——銃に魅入られ離れられない罪深き者たち。彼らの前に世界の軍事地図を塗り替える新型銃が出現。すべてを沈黙させる狂兵器を前にした彼らは……。超新星、衝撃のデビュー！

●最新刊
重犯罪予測対策室
鈴木麻純

小日向響は、「重犯罪予測対策室」の内部調査を命じられる。事件を未然に防ぐべく集まった面々は対人恐怖症や政治家の我がまま息子など問題児ばかり。予測不能なエンターテイメント小説！

●最新刊
保育士・ミクの夢解き日誌
おやすみなさいは事件のはじまり
三岡雅晃

保育士ミクを悩ませる問題。それは、町で起こる事件を夢に見るということ。事件発生を防ぐべく、今日もミクは人知れず大奔走！　ほっこりすることと間違いなしの、ほのぼのラブコメミステリー。

●最新刊
麒麟島神記
祈り巡りて花の降る
山川沙登美

掏摸の少年ヤンとリーインは、隣国の姫君から掏ったもののせいで、世界の命運をかけた戦いに巻き込まれることに……。愛する者を守る冒険が、いま始まる！　傑作ハイ・ファンタジー登場!!

●最新刊
リバースヴァンパイア
天月《あまつき》村に伝わる秘密の呪法
吉野　匠

寂れた神社で起きた襲撃事件。真田淳也は無我夢中で立ち向かった！　リバースヴァンパイアの呪法とは一体何!?　累計110万部突破の「レイン」シリーズ著者が描く胸キュンの美少女吸血鬼物語。

幻冬舎文庫

●好評既刊
もういちど生まれる
朝井リョウ

バイトを次々と替える翔多。美人の姉が大嫌いな双子の妹・梢。才能に限界を感じながらもダンスを続ける遥。若者だけが感受できる世界の輝きに満ちた、背中を押される爽快な青春小説。

●好評既刊
ねえ、委員長
市川拓司

学級委員長のわたしは、落ちこぼれの鹿山くんと親しくなる。わたしが薦めた小説は彼の人生を変えるが、二人の恋は実らなかった――。表題作ほか二作を収録。純度１００％の傑作恋愛小説集。

●好評既刊
女盛りは意地悪盛り
内館牧子

心なんぞは顔の悪い女が磨くものだ、と言い放つ直球勝負の著者は、平等を錦の御旗とした時代を顧みて何を思ったか。時に膝を打ち時に笑わせる、男盛り、女盛りを豊かにするエッセイ五十編！

●好評既刊
彼女の倖せを祈れない
浦賀和宏

ライターの銀次郎の同業者、青葉が殺された。青葉が特ダネを追っていたことを知った銀次郎はそのネタを探り始めるのだが――。読み終わると、体と心が震えること確実のエンタメミステリ！

●好評既刊
給食のおにいさん　進級
遠藤彩見

給食作りに反発しながらも、問題を抱える生徒を給食で助けたい！　と奮闘する宗。だがなぜか栄養士の毛利は「君は給食のお兄さんに向いてない」と言い……。待望の人気シリーズ最新刊！

ドリームダスト・モンスターズ

櫛《くし》木《き》理《り》宇《う》

平成26年5月15日　初版発行

発行人――石原正康
編集人――永島賞二
発行所――株式会社幻冬舎
〒151-0051東京都渋谷区千駄ヶ谷4-9-7
電話　03(5411)6222(営業)
　　　03(5411)6211(編集)
振替00120-8-767643
印刷・製本―中央精版印刷株式会社
装丁者――高橋雅之

幻冬舎文庫

ISBN978-4-344-42194-3　C0193　く-18-1

幻冬舎ホームページアドレス　http://www.gentosha.co.jp/
この本に関するご意見・ご感想をメールでお寄せいただく場合は、
comment@gentosha.co.jpまで。